¿Dónde dejé mis lentes?

¿Dónde dejé mis lentes?

El cómo, cuándo y por qué de la pérdida normal de la memoria

Martha Weinman Lear

Traducción
Lina Patricia Bojanini G.

GRUPO
EDITORIAL
norma

Bogotá Barcelona Buenos Aires Caracas Guatemala
Lima México Panamá Quito San José San Juan
San Salvador Santiago de Chile Santo Domingo

Lear, Martha Weinman
    ¿Dónde dejé mis lentes? / Martha Weinman Lear ;
traductor Lina Patricia Bojanini G. -- Bogotá : Grupo
Editorial Norma, 2008.
    280 p. ; 23 cm.
    Título original: Where did I Leave my Glasses? : The What,
When, and Why of Normal Memory Loss.
ISBN 978-958-45-1298-7
    1. Memoria en la vejez 2. Envejecimiento - Aspectos
psicológicos 3. Edad (Psicología) 4. Salud mental
I Bojanini, Lina Patricia, tr. II. Tít.
155.67 cd 21 ed.
A1170457

                CEP-Banco de la República-Biblioteca Luís Ángel Arango

Título original en inglés
Where Did I Leave my Glasses? The What, When and Why of Normal Memory Loss.
de Martha Weinman Lear
Una publicación de Hachette Book Group, USA
New York, Ny 10017
Copyright © 2008 de Martha Weinman Lear
Copyright © 2008 para todos los países de habla hispana de Editorial Norma S.A.
Bogotá, Colombia
www.librerianorma.com

Impreso por Cargraphics S.A.

Julio de 2008

Diseño de cubierta, Patricia Martínez Linares
Diagramación, Blanca Villalba Palacios

CC. 26024678
ISBN 978-958-45-1298-7

PARA COMOSELLAME
(CREO QUE EMPIEZA POR A)

CONTENIDO

Agradecimientos   II
Introducción: PERO PRIMERO
(Y ANTES DE QUE SE ME OLVIDE)...   I5

CAPÍTULO UNO
Saluda a Comosellame: EL PROBLEMA DE LOS NOMBRES   25

CAPÍTULO DOS
Realizar múltiples tareas a la vez: ¿quién se le mide?
EL PROBLEMA DE LA ATENCIÓN   4I

CAPÍTULO TRES
Perder un poco, ganar un poco:
EL LADO POSITIVO DEL OLVIDO   55

CAPÍTULO CUATRO
Él recuerda, ella recuerda: EL GÉNERO Y LA MEMORIA   67

CAPÍTULO CINCO
Bailo tan rápido como puedo:
EL EJERCICIO Y LA MEMORIA   79

CAPÍTULO SEIS
Una reflexión sobre el elefante:
LAS COSAS QUE NUNCA OLVIDAMOS   9I

CAPÍTULO SIETE
No es salsa de tomate:
LAS 57 VARIEDADES DE MEMORIA   I05

CAPÍTULO OCHO
Amnesia, al estilo Hollywood: OLVÍDELO   II7

CAPÍTULO NUEVE
Contarlo como no es: LA MEMORIA Y SUS ENGAÑOS   129

CAPÍTULO DIEZ
¡Huy! Duele recordar eso   145

CAPÍTULO ONCE
El Síndrome del estudiante de medicina:
ESTO DEBE SER ALZHEIMER   153

CAPÍTULO DOCE
¿Entonces, cuándo *no* es normal?
O, ¿QUIÉN ME ESCONDIÓ LAS LLAVES?   167

CAPÍTULO TRECE
Para usted es alimento para el cerebro; para mí,
solo espinaca: LA DIETA Y LA MEMORIA   187

CAPÍTULO CATORCE
Todo está en el computador, ¿no es así?   205

CAPÍTULO QUINCE
Recuerdos tipo *flash*: ¿DÓNDE ESTABAS CUANDO...?   223

CAPÍTULO DIECISÉIS
El panorama general:
SR. DARWIN, ¿POR QUE PASÓ ESTO (POR QUÉ A MÍ)?   239

CAPÍTULO DIECISIETE
Más allá de la generación del Botox:
LA MEMORIA Y EL MAÑANA   255

Sobre la autora   277

Agradecimientos

P OR LO GENERAL, resulta ventajoso leer lo que han escrito las personas más sobresalientes y brillantes en su campo; lo hice mucho. Pero no es allí donde está la fuerza. La fuerza está en la entrevista cara a cara, en las preguntas y respuestas espontáneas, en los desvíos conversacionales que nos alejan de la carretera principal para girar en una curva, atravesar un bosque y penetrar en un claro inesperado que nos ofrece una hermosa vista.

He trabajado como periodista para revistas durante más de cuatro décadas, he escrito montones de artículos, he entrevistado a cientos de personas y hace mucho tiempo aprendí esto: no hay nada —ni los libros y revistas científicas, ni los artículos de investigación, ni el intercambio de mensajes a través del correo electrónico, ni la estupenda e incomprensible (para mí) cualidad de sabelotodo de Google— *nada,* que sea tan efectivo como sentarse con otra persona en una habitación y permitir que las cosas fluyan con libertad.

Durante la preparación de este libro entrevisté a muchos especialistas y casi todas las entrevistas se llevaron a cabo de ese modo. Unas cuantas, por una u otra causa de tipo logístico, tuvieron que ser realizadas por teléfono; esto no es lo ideal, pero al menos se cuenta con las voces en vivo y la espontaneidad. Estoy muy agradecida con todos estos especialistas y quiero expresarles mi gratitud en especial a las siguientes personas por su tiempo y por la asesoría especializada que me brindaron:

Simon Baron-Cohen, Ph.D., profesor de psicopatología del desarrollo, Universidad de Cambridge; director del Centro de Investigación sobre Autismo del Departamento de Psiquiatría de la Universidad de Cambridge, Inglaterra.

Michael Schnaider Beeri, Ph.D., profesor adjunto de psiquiatría, Escuela de Medicina Mount Sinai, Nueva York, NY.

Rodney Brooks, Ph.D., profesor de robótica y ex director del Laboratorio de Ciencias de la Computación e Inteligencia Artificial, Instituto de Tecnología de Massachusetts, Cambridge.

Terrence Deacon, Ph.D., profesor de antropología biológica, Universidad de California, Berkeley.

Gayatri, Devi, MD, profesora clínica titular de neurología y psiquiatría, Escuela de Medicina de la Universidad de Nueva York; directora de los Servicios para la Memoria de Nueva York.

Adam Gazzaley, MD, Ph.D., profesor de neurología y fisiología; director del Centro de Imaginología de Neurociencia, Universidad de California, San Francisco.

Judy Illes, Ph.D., profesora de neurología y Cátedra de Investigación de Canadá en neuroética, Universidad de British Columbia, Vancouver.

William Jagust, MD, profesor de salud pública y neurociencia, Universidad de California, Berkeley.

Arthur F. Kramer, Ph.D., profesor de neurociencia y psicología, Universidad de Illinois, Urbana-Champaign.

Richard E. Powers, MD, presidente del Comité Científico Consultivo de la Fundación Estadounidense del Alzheimer.

Norman Relkin, MD, Ph.D., profesor titular de neurología clínica y neurociencia; director del Programa de Desórdenes de la Memoria, Universidad Médica de Weill Cornell, Hospital Presbiteriano de Nueva York.

Daniel L. Schacter, Ph.D., profesor de psicología, Cátedra William R. Kenan, Jr., Universidad de Harvard.

Margaret Sewell, Ph.D., profesora clínica adjunta de psiquiatría; directora del Programa para Mejorar la Memoria, Escuela de Medicina Mount Sinai, Nueva York, NY.

Jeremy M. Silverman, Ph.D., profesor de psiquiatría, Escuela de Medicina Mount Sinai, Nueva York, NY.

David Sinclair, Ph.D., profesor titular de patología, Escuela de Medicina de Harvard.

Meir Stampfer, doctor en salud pública, PH.D., profesor de nutrición y epidemiología, Escuela de Salud Pública de Harvard.

Me siento muy agradecida sobre todo con el Dr. Barry Gordon, profesor de neurociencia cognitiva terapéutica y fundador de la Clínica de la Memoria de las Instituciones Médicas de Johns Hopkins en Baltimore, y con el Dr. Yaakov Stern, profesor de neuropsicología clínica del Centro Médico de la Universidad de Columbia en Nueva York y director del Centro de Desórdenes de la Memoria en el Instituto Psiquiátrico del Estado de Nueva York.

La ayuda que ambos me brindaron va más allá de las palabras, sin embargo, ese es el punto, precisamente: las palabras. Ambos saben cómo ponerle vida al conocimiento. Es un don encantador y poco común, y yo tuve la fortuna de ser la beneficiaria.

M.W.L.

Introducción

PERO PRIMERO (Y ANTES DE QUE SE ME OLVIDE)...

Me consuela, no del todo, pero me resigno con cualquier cosa que pueda conseguir, saber que todos estamos metidos en esto: protestamos cada vez más, porque recordamos cada vez menos.

Digo *todos* de manera deliberada. No se refiere a todo el mundo. Se refiere a *nosotros*: a aquellos de nosotros que siempre olvidamos los nombres de las personas, o dónde pusimos las llaves del auto, o lo que estábamos a punto de decir. Se refiere a aquellos de nosotros que experimentamos con frecuencia esos momentos que se denominan, dentro de la gran riqueza del ingenio estadounidense para los eufemismos, momentos en la punta de la lengua. Si a usted no lo están atormentando aún este tipo de momentos, no debería estar leyendo este libro. No es para usted. Aún.

En cuanto a *nosotros*: déjeme decirle que en lo que respecta a "el fenómeno de la punta de la lengua", somos el mundo. Los italianos dicen: *Sulla punta della lingua*. Los franceses, a quienes por lo general no les agrada sonar igual al resto de la gente, suenan igual a todo el mundo al decir: *Sur le bout de la langue*. Los suecos dicen: *Jag har det på tungan*. Los croatas dicen: *Na vrhu jezika mi je*, y los holandeses: *Op het puntje van mijn tong*, aunque sólo Dios sabe cómo se pronuncia cualquiera de estos dos, y, he aquí el quid del asunto, todos describen *exactamente* la misma sensación, *exactamente* del mismo modo. En el Japón es la misma sensación exasperante, pero un poco más abajo. Ellos dicen: "のど まで でかかってるんだけど", que significa "se me atascó en la garganta".

Esto me alegra. No es que el olvido en sí mismo sea cosa de risa, no, al menos no para quienes lo padecemos, pero encuentro algo gracioso de por sí en la idea de un coro global que gime: "¿Qué era lo que iba a decir? *Lo tengo en la punta de la lengua*". ¡Qué tal esta Babel de lenguas!

Analicemos en qué estado está nuestra propia memoria, la suya y la mía. Este es el de la mía:

Los adjetivos se me olvidan. Los verbos se me escapan. Los sustantivos, sobre todo los nombres propios, me derrotan por completo. Puedo conocerlo en una fiesta, sostener una larga y agradable conversación con usted, quedar encantada con su persona, querer seguir siendo su amiga para siempre, y al día siguiente no recordar su nombre. (No se ofenda. El problema no es suyo. Sin embargo, si *usted* no recuerda mi *nombre*, juro que me sentiré ofendida).

A menudo no puedo recordar qué cené la noche anterior y mucho menos sobre qué hablamos mi esposo y yo mientras cenábamos. Pero puedo referir, con bastante precisión, que las conversaciones que sostenemos en la mesa en estos días, se llevan a cabo más o menos así:

—Empecé a decirte algo.

—¿Qué?

—No me acuerdo.

O:

—Hoy vi a Comosellame.

—¿A quién?

—*Tú* sabes. A *Como*sellame.

—Ah. ¿Dónde?

O:

—¿Recuerdas que te pedí que me acordaras de llamar a alguien?

—Sí.

—¿A quién era?

—Se me olvidó.

O:

—¿Qué era lo que estaba buscando?

—¿Por qué habría de saberlo?

—Porque me pediste que te lo buscara.

—¿Que buscaras qué?

O:

—¿De qué estábamos hablando?

—Estabas diciendo que viste a Comosellame.

—No, antes de eso.

—No me acuerdo.

—Maldita sea. Ya se me fue.

Y esos son los mejores momentos.

Algunos especialistas en memoria, de los que entrevisté muchos, afirman que el problema obedece básicamente a la forma en que vivimos: todos estamos sobrecargados.

"Me dirijo hacia la cocina— me dice una geriatra—, y entre tanto estoy pensando en prepararme para las rondas en el hospital, en llamar al tipo que arregla el computador y en dejar unas prendas en la lavandería de camino al trabajo; cuando llego a la cocina ya he olvidado por completo para qué fui". Y esta no es más que una muchacha de cuarenta y tres años.

En otras palabras, dicen los expertos, la pérdida de la memoria no se debe a que estamos envejeciendo, sino simplemente a que tenemos demasiadas cosas en la mente.

No les crea. Es porque estamos envejeciendo.

(Una advertencia: le ruego encarecidamente que acepte este hecho para que no se sienta muy decepcionado si acaso se muda al campo y se sienta a desintegrarse en el porche de atrás sin tener que pensar en rondas hospitalarias, ni prendas para lavar en seco, ni arreglos del computador y se da cuenta de que aun así no logra recordar el nombre del perro del vecino.)

Cuando estoy con mis amigas, que han sido amigas mías durante décadas, y cuyas edades oscilan en su mayoría entre los cincuenta y sesenta y cinco años, es la misma historia. Nos reunimos en una sala para ver por ejemplo la entrega de los Premios de la Academia, algunas de nosotras seguimos insistiendo, como cada año, que lo hacemos solo por ver los trajes. Entonces, alguna dice: "Esa actriz, la de labios grandes, ¿cómo se llama? Siempre se me olvida el nombre", y otra dice: "¿Me estás preguntando a mí?", y una tercera dice: "Yo ya no me acuerdo de nada", y una cuarta dice: "Hagan fila", y todas nos reímos con alegría; con demasiada alegría.

Porque lo que a todas nos inquieta, por supuesto, es el fantasma de la enfermedad de Alzheimer. "Ay Dios, me debe estar dando Alzheimer", nos decimos unas a otras con esa misma risita nerviosa, solo para demostrar que bromeamos. Más o menos.

Un año antes de comenzar a escribir este libro, empecé a hacer menos bromas al respecto. Sufrí un caso severo de algo que no es solo una frase común, sino de hecho un término utilizado por los investigadores de la memoria: el síndrome de la punta de la lengua (PDL).

No era simplemente que se me escapara lo obvio, como los nombres de las personas y las listas de quehaceres, sino el proceso mismo del pensamiento, las secuencias de pensamiento. Como escritora de no ficción, tengo como tarea principal recopilar una gran cantidad de investigaciones y organizarlas de un modo fluido, y moverme con lógica y ojalá con algo de gracia, del punto A al B al C; por lo tanto esta evolución de los hechos no me entusiasmaba en lo absoluto. A veces, mientras trabajaba en un artículo para una revista, la forma perfecta de conectar un párrafo con el siguiente aparecía de repente en mi mente como una bombilla de mil vatios, y luego, *paf*, fuera, desaparecía, adiós; esto me estaba enloqueciendo.

Sumado a esto, a menudo no podía ver lo que estaba escribiendo porque no encontraba mis lentes. Déjeme decirle que el título de este libro es una frase que llevo grabada en el alma.

Entonces, llena de angustia, acudí a una cita con el director del programa de ayuda para la memoria en uno de los principales hospitales de la ciudad de Nueva York. Hoy en día muchos hospitales en las grandes ciudades cuentan con este tipo de programas. Tratan sobre todo a personas con patologías, pero también reciben bastantes llamadas de personas como yo que simplemente no saben lo que significan esas lagunas en su memoria, se sienten ansiosas y buscan que las tranquilicen.

Eso fue lo que obtuve: el director me sometió a una serie de pruebas, me dijo que no presentaba ningún síntoma en absoluto de estar desarrollando una pérdida anormal de la memoria y me despachó. Floté en una nube de regreso a casa. Mis viejos olvidos todavía me vuelven loca, pero haber obtenido la certeza de que se trata de algo *normal*, me tranquilizó. Esto, de hecho, parece mejorar mi memoria.

Ojalá todos nos pudiéramos relajar. Siempre existe la posibilidad de ser atacados por la demencia. O por un camión. Pero existe la grata *probabilidad* de que la nuestra sea el tipo de pérdida habitual de la memoria que viene con los años. Es una de las diversas tarifas de admisión a la longevidad, y cuando uno analiza otras tarifas que podría pagar, ve que esta es la mejor oferta disponible. Incluso tiene sus ventajas, como verá más adelante.

No es que esté a punto de promocionar el lado positivo del envejecimiento. Este rollo de la memoria que vamos a explorar a veces se denomina olvido benigno. Por favor. Ahórrenme los eufemismos. Tener menos olvidos sería algo más benigno. Pero debemos reconocer que, aunque esto pueda hacernos salir de casillas, es algo completamente normal —*normal*: encantadora palabra— y partamos de ahí.

Así que, aunque en un capítulo se analiza por qué nos preocupa tanto la enfermedad de Alzheimer, y en otro se examinan las diferencias entre el olvido normal y las señales de posibles problemas, usted no encontrará en este libro un "Todo sobre el Alzheimer".

Tampoco encontrará información sobre otros tipos de demencia. A propósito, de esta existen cerca de setenta formas diferentes: setenta sabores amargos que espero, de todo corazón, que ninguno de nosotros tenga que probar nunca. No sé gran cosa acerca de ellos. Pero sé mucho, sí señor, del tipo de olvido común y silvestre que aparece en la mayoría de nosotros en la edad madura (en realidad empieza mucho antes, pero luego ampliaremos más esto) y nos deja en vilo, medio divertidos y bastante frustrados, en la cúspide de algún dato escurridizo.

La pérdida *normal* de la memoria es el tema que encontrará en estas páginas. Por qué nos ocurre, cuándo y cómo. Encontrará los puntos de vista (no siempre concordantes) de los distinguidos especialistas en memoria que entrevisté: psiquiatras, psicólogos, expertos en neurociencia, expertos en informática, biólogos evolutivos, todos apasionados por el tema de cómo recordamos y cómo olvidamos. Encontrará también la clase de información que primero nos abandona y por qué (Capítulo uno: *Saluda a Comosellame: El problema de los nombres*) y qué hacer al respecto; y la clase de información que es casi imposible olvidar y por qué (Capítulo seis: *Una reflexión sobre el elefante: las cosas que nunca olvidamos*).

Además leerá sobre las diferencias entre la memoria masculina y femenina, algunas de las cuales pueden ser innatas y podrían incluso explicar ciertas diferencias de comportamiento entre hombres y mujeres. Y le daremos un vistazo a la memoria en relación a la dieta y los suplementos alimenticios; en relación al ejercicio, en particular ciertos tipos de ejercicio, y al estilo de vida; y al tenebroso asunto de olvidar las cosas a propósito, aunque no *necesariamente* de manera consciente.

Después algunas realidades bastante peculiares: ¿por qué somos tan buenos (¡por desgracia!) para recordar el dolor emocional pero no el dolor físico? ¿Por qué la memoria nos engaña? ¿Por qué nuestros hijos y nietos casi con certeza sabrán más y recordarán menos que nosotros? ¿Por qué la capacidad para *olvidar* es vital?

Y luego, varios panoramas generales: cómo se compara la memoria del cerebro con la memoria de un computador, cómo está incorporado el olvido dentro del gran esquema evolutivo, y qué le depara el futuro a la memoria humana (ni se lo imagina).

De principio a fin encontrará las experiencias personales de muchos amigos, colegas y gente casi desconocida para mí que han tenido la amabilidad de compartir conmigo momentos de olvido que a lo mejor preferirían olvidar. Les garantizo que entre estos reconocerán momentos que les parecerán propios.

Les agradecería a todos ellos por el nombre, si tan solo pudiera recordarlos.

¿DÓNDE DEJÉ MIS LENTES?

CAPÍTULO UNO

Saluda a Comosellame
EL PROBLEMA DE LOS NOMBRES

ESCENA: En un autobús de Manhattan, como se reportó en *The New York Times*.

PERSONAJES: Dos mujeres maduras hablan sobre qué película ver esa tarde.

—Quiero ver la película, tú sabes, con esa mujer de pelo castaño largo.

—¿Qué película es esa?

—Ya sabes, en la que sale ese tipo.

—¿El tipo que estaba casado con la cantante?

—No, el otro.

—Ah, esa película. Ya sé a cuál te refieres. El tipo bajito y divertido actúa en ella.

—¡Esa, esa!

—Oí decir que no es tan buena.

—¿Quién dijo?

—Un tipo en uno de los periódicos. No recuerdo en cuál. También sale en la tele.

—Ya sé de quién hablas. Me sorprende. A la mujer que escuchas en la radio le encantó.

—Este tipo dijo que era tediosa y muy larga.

—Entonces veamos otra cosa. ¿Qué tal esa película del avión?

AH, ESTO ME TOCA DE UN MODO MUY INTENSO. Me siento una con estas dos mujeres del autobús. *Soy* esas mujeres en ese autobús.

Aquí estoy: persigo un nombre huidizo por los corredores sin ventanas de mi mente, de arriba abajo, ¡*oye, nombre, espérame*! El pequeño granuja continúa sobrepasándome con alegría, se detiene de vez en cuando sólo para molestarme y hacerme creer que puedo agarrarlo, y mi enojo se convierte en frustración, luego en indignación, y después en una risa impotente. ¿Yo, una profesional de las palabras, buscando a tientas y a ciegas en la oscuridad a un Tom, a un Dick, a un Harry?, qué absurdo.

Comencé el lamento habitual: "No puedo recordar ese nombre, lo tengo justo en la punta de la lengua, esto me desespera; tú sabes, ese por allá en la época en la que Comosellame era presidente, el tipo del contrato con los Estados Unidos, *¿cómo diablos se llamaba?*".

Quizá nuestro compañero trata de ofrecernos ayuda, como lo hace el mío: "Creo que empieza por C".

Si tiene suerte, él o ella deja el asunto de lado, y no hace lo que hizo el mío una vez, que me despertó a la luz pálida del amanecer para anunciarme con voz triunfal: "¡Newt Gingrich!". (Luego vino el intercambio de palabras previsible: "Dijiste que empezaba por C". "No, estoy seguro que dije que por G".)

Nombres, nombres. Son la espina en el talón de Aquiles colectivo.

Pregunta: ¿*Qué* es lo que con mayor seguridad se le olvida?

Esta fue la pregunta que le formulé a todas las personas que entrevisté para hacer este libro (esto incluye a los expertos, la mayoría de los cuales apenas están entrando a la madurez, pero sus memorias no son lo que solían ser, tampoco).

Las respuestas que encabezaron la lista fueron:

1. ¿Dónde dejé los lentes?
2. ¿Qué era lo que estaba diciendo?
3. ¿Para qué vine aquí?
4. ¿Qué te dije que me recordaras que hiciera?
5. ¿Cuál es el nombre de ella (él, eso)?

Todos concursantes muy fuertes. Pero el quinto ganó sin ninguna dificultad.

Hay una consistencia en todo este asunto que llama la atención. Lo primero que olvidan la mayoría de personas con pérdida normal de la memoria, son los nombres. Los genes nos favorecen a algunos con una memoria mejor que la de otros individuos. Pero, más allá del imperativo genético, parece que hubiera algún sistema universal de cableado diseñado por electricistas expertos de origen desconocido con el propósito explícito, a veces pienso, de volvernos locos.

Con el dulce paso del tiempo podemos empezar a notar que también tenemos dificultades para identificar otros tipos de palabras como sustantivos comunes, verbos, adjetivos y demás. Mi esposo y yo somos escritores y trabajamos en cuartos contiguos, y los SOS van de aquí para allá.

—¿Cuál es el adjetivo para cuando algo es imposible de negar, cuando decimos que es una prueba *categórica*?

—¿*Irrefutable*?

—¡Sí! ¡*Irrefutable*!

Pero nada nos da tanta dificultad como los nombres de las personas. Todos lo sabemos. Simplemente no lo entendemos del todo.

¿Cuál es la lógica de esto? ¿Por qué los nombres específicamente? Me lo preguntaba mientras corría a toda prisa tras ellos, en una persecución desventurada. Esta era tan solo la primera de un grupo de preguntas. Como: ¿A *quién* se le olvidan los nombres? ¿Nos ocurre a todos durante el curso normal del envejecimiento o algunos logramos ingeniárnoslas para no pagar la tarifa de admisión? ¿Y *qué* es lo que en realidad sucede que nos hace olvidar los nombres? (Sí, sí, estamos envejeciendo. Pero, *¿qué es lo que está pasando realmente allá adentro?*) ¿Y *cuándo* empieza a pasar eso, sea lo que sea que está pasando? ¿Y *dónde* se esconde el nombre en ese intervalo exasperante entre el momento en que desaparece y el momento en que de repente vuelve a aparecer? ¿Y *qué* se puede hacer al respecto, si es que se puede hacer algo?

Entonces, para empezar: ¿Por qué se nos olvidan los nombres?

En primer lugar, porque no significan nada.

Algunos sí, obviamente: Mayo, Violeta, París, Juliana. (Y algunos tienen significados que ustedes ni sospecharían, por ejemplo Gloria, que, según mi leal diccionario Webster es "una representación… de un estallido de luz deslumbrante que sale de los… cielos" y Betty, que es "un instrumento pequeño utilizado por los ladrones para entrar en las casas". ¿Quién iba a saber eso?) Pero en su mayoría, los nombres son palabras sin ningún significado.

Lo cual es muy absurdo. De nuevo, recurro al Webster: "Palabra: un sonido articulado… que simboliza y comunica un significado…". Pero es la naturaleza idiosincrática de esas palabras particulares que denominamos nombres propios la que desafía al diccionario. El nombre de uno sólo se refiere a uno, y a cualquier otro que tenga el mismo nombre, lo que complica la cuestión. No tiene un contexto; no pertenece a ninguna categoría de significado; no proporciona una pista o un vínculo con algo, excepto con usted.

En resumen, no logra hacer en absoluto lo que hacen de sobra *pantalla*, *zapato* y *finca*: desencadenar una asociación. Lo que constituye una falla crítica, porque así es como funciona la memoria, por asociación.

Ah, pero espere, si en esencia los nombres nos dan líos porque carecen de significado, cuando éramos pequeños tenían la misma carencia y nunca nos daban problemas. ¿Por qué ahora sí?

Esto nos conduce a la siguiente pregunta: A medida que envejecemos, *¿qué* es lo que en realidad está pasando que ocasiona este problema insignificante e irritante?

En realidad, están pasando tres cosas.

El Dr. Norman Relkin es neurólogo y experto en neurociencia y además es el director del Programa de Desórdenes de la Memoria en el Hospital Presbiteriano de Nueva York en Manhattan. Dice: "La gente me pregunta: ¿A qué se debe que cuando iba a un cóctel solía recordar los nombres y ahora ya no puedo?".

Luego explica que tal como los nombres comienzan a hacernos sufrir, hay otros dos problemas muy comunes que comienzan a aparecer. Se vuelve más difícil hacer varias cosas a la vez y tardamos más tiempo en procesar nueva información.

Por lo tanto, dice el Dr. Relkin: "Si se combina el deterioro primario en la capacidad de nombrar, con una disminución en la habilidad para realizar varias tareas a la vez y para captar todo lo que sucede simultáneamente en un cóctel, *sumado* a un descenso en el tiempo de reacción, se puede ver…".

Sí, sin lugar a dudas lo veo.

Ahora, con respecto al *quién* de esto: ¿Es inevitable que, con el tiempo, todos experimentamos el problema de los nombres?

Respuesta: No todos, pero sí casi todos. Algunos pájaros raros pasan planeando por la vida e incluso llegan a la alta ancianidad (definido por los científicos sociales como noventa años de edad o más), con sus sistemas de memoria intactos. ¿Qué explicación tienen estos casos?

Es un interrogante que en la actualidad suscita mucho interés entre los investigadores de la memoria. Tal vez esos pocos afortunados siempre se alimentaron bien, durmieron mucho, ejercitaron el cuerpo, mantuvieron la mente activa: todo eso que nos exhortan a hacer para mejorar la memoria. (El ajedrez se volvió una recomendación muy de moda, al igual que los crucigramas. No todo el mundo está de acuerdo, como verá en el capítulo cinco. Todo lo que sabemos con certeza es que tampoco hacen daño, a no ser que uno los use, como lo hago yo con frecuencia, para evitar hacer lo que debería estar haciendo.)

Muchos estudios sugieren que todo lo mencionado en el párrafo anterior ayuda, pero que lo más probable es que las personas que tienen una memoria superior siempre la hayan tenido. A lo mejor se quedaban despiertos hasta la media noche atragantándose de pizza mientras veían las películas del viejo Charlie Chan y *aun así* tienen una memoria superior. Los genes, los genes.

Una teoría que circula entre los especialistas en ciencia cognitiva es que la educación también puede influir: la gente que tiene más educación puede aprender a resolver los problemas de maneras más eficientes que aquella que tiene menos, lo que de hecho, desde el punto de vista fisiológico, puede modificar la forma como funcionan sus cerebros. Conozco muchas personas con títulos de doctor que tienen una memoria incluso peor que la mía, pero eso se sale del tema. El punto es que, si usted ya está en plena edad madura (por lo general definida como el periodo entre los cuarenta y cinco y los sesenta y cinco) y no presenta indicio alguno del problema con los nombres, salud, chico. Usted, sin duda, es uno de esos pájaros raros.

Siguiente pregunta, entonces: ¿*Cuándo* comienza todo esto, en promedio?

Esta respuesta es como un baldado de agua fría, por lo menos lo fue para mí, de parte del Dr. Relkin: "Si se controlan la educación, las condiciones socioeconómicas y las demás variables que puedan tener influencia sobre esto, *en efecto, después de los veinte años, uno empieza a ver algo de pérdida en la función de la memoria primaria*" (la bastardilla es mía). Creo que es algo que ya está cimentado en la biología del cerebro.

La nueva tecnología, dice el Dr. Relkin, les ha dado a los investigadores cognitivos la habilidad de medir los cambios en el cerebro a través del tiempo. "Con esto, podemos ver que, en la población general, el cerebro de la gente se encoge cero punto cinco por ciento cada año".

"¿Desde qué edad?".

"En los estudios que he visto, desde los treinta años".

¡Los treinta años! No estoy segura de si esto deba hacernos sentir mejor o peor. Pero es una buena sugerencia para darles a sus hijos una respuesta aguda y veloz si alguna vez le hacen comentarios molestos, así sea con cariño, sobre su memoria.

El problema de los nombres no alcanza un tamaño suficiente como para comenzar a fastidiarnos de modo sistemático, hasta que no estamos bien entrados en la madurez. Pero una vez que empieza: ¿*Dónde* se esconden esos diablillos cuando no podemos encontrarlos?

La respuesta para esta la tiene el Dr. Yaakov Stern, el director de un equipo de científicos que investiga el envejecimiento y la memoria en la Facultad de Medicina y Cirugía de la Universidad de Columbia en Nueva York.

El Dr. Stern es neuropsicólogo. Se interesa en particular por las personas cuya memoria permanece intacta a lo largo de la vida. Al igual que todos los individuos que he conocido que trabajan en estas áreas, parece estar enamorado por completo de su tema. Es muy gentil y muy alto; mientras contesta mis preguntas la parte superior de su cuerpo parece inclinarse hacia delante, con el peso de su entusiasmo, como el cuerpo de uno de esos increíbles pájaros de patas largas.

"Una parte del cerebro se encarga de guardar la memoria, por decirlo así, y otra parte se encarga de recuperarla —dice—. El hipocampo y las áreas circundantes parecen ser muy importantes para ingresar nuevos recuerdos, y ciertas áreas en la parte frontal del cerebro son importantes para recuperarlos. Es casi como la Red Mundial, hay mucha información almacenada en ella, pero es necesario tener la función de búsqueda correcta para extraerla.

Recordar nombres es muy diferente de lo que llamamos *memoria semántica*: qué es un escritorio, qué es una silla o qué son los animales con respecto a los muebles. Todas estas cosas están grabadas de un modo muy distinto a como se graba un dato como su nombre. Pero los nombres con los que uno crece, por ejemplo, el de mi padre, estos nombres se fijan con tanta firmeza en el cerebro que se pueden almacenar como memoria semántica".

Lo que no explica el síndrome Brad Pitt/Tom Cruise que padezco: "¿Qué pasa cuando estoy viendo una película y digo: 'He visto a ese actor cien veces y aun así no consigo recordar su nombre'? Puede que no me haya criado con ese nombre, pero sin duda es un nombre familiar. ¿Por qué no me llega?".

"Y una hora después, uno está parado en la ducha y, *¡ajá!,* el nombre le llega. ¿No es así?".

"*¡Ajá!* Es cierto". En los días buenos.

"Así que está *ahí adentro.* Ese es el problema de la recuperación, ahí es cuando se necesita la función de búsqueda".

¿Y dónde está cuando lo necesitamos? Ah, ahí está el obstáculo final.

No es mi intención agobiar a nadie con detalles técnicos —tal como están las cosas ya todos tenemos bastante para olvidar— pero en la actualidad los expertos en neurociencia piensan que el lóbulo frontal del cerebro que está involucrado en la función de búsqueda es una de las primeras áreas en comenzar a encogerse a medida que envejecemos. Lo que es *normal*, amigo. "Así que es posible que no sea la habilidad para guardar los recuerdos la que se vea afectada con los años, sino la habilidad para recuperarlos".

Entonces cuando estamos tratando de extraer un nombre, el pobre objeto calumniado no está tratando de esconderse por su propia voluntad en las confusas profundidades del cerebro. Simplemente tiene dificultades para encontrar la salida. Paciencia. El lóbulo frontal necesita tiempo para cargarse.

★   ★   ★

¿Entonces *qué* se puede hacer al respecto?

Estrategias compensatorias: esa es la frase operativa. Todos los expertos hacen hincapié en que ninguna estrategia sirve para recuperar lo que se ha perdido. Si mi lóbulo frontal se encogió, se encogió y punto. Pero podemos compensar nuestras debilidades sacándoles provecho a nuestras fortalezas.

La selva del comercio está llena de supuestos gurús de la memoria que prometen la luna. Tienen clínicas, publican libros, producen videos, se hacen publicidad sensacionalista por montones ("¡En solo dos horas tendrá una memoria fotográfica! Pague solo…"). Solo tiene que dominar las técnicas que le enseñan y practicar, practicar, practicar y tendrá "una memoria como un imán", "alcance la fama y la libertad financiera que usted se merece", "divierta a sus huéspedes y sea el alma de la fiesta" —este prospecto bastaría para mandarme corriendo en dirección opuesta— y nunca olvidará un nombre en toda su vida.

Es igual a los "cómo hacer para", de siempre: cómo adelgazar y quedarse delgado, cómo mantener ardiente el sexo en el matrimonio, cómo ganar un millón en propiedad raíz. La memoria es un negocio muy muy grande.

Todos enseñan básicamente las mismas estrategias, la mayoría de las cuales son variaciones de estrategias que tienen por lo menos dos mil años, ya que fueron inventadas por los *verdaderos* gurús: los antiguos romanos. Ellos utilizan asociaciones elaboradas de palabras e imágenes visuales (*mnemotecnia*, como se dice en el gremio; una clave verbal es una ayuda mnemotécnica, al igual que un cordel amarrado en el dedo o cualquier otro recurso que pueda ayudarle a uno a recordar). Woody Allen hizo una broma sagaz al respecto en la película *Scoop*, de 2006. "Tengo un recurso mnemotécnico —dice su personaje—. Supongamos que quiero recordar este cenicero. Pienso en cincuenta ceniceros bailando en minifalda".

En mi experiencia, casi todas estas estrategias que se recomiendan son demasiado complicadas para ser útiles. No necesitamos que se nos den cosas complejas para memorizar, con el objetivo de ayudarle a nuestra memoria. Lo que necesitamos son cosas simples.

Los programas afiliados a los hospitales por lo general recomiendan técnicas simples para recordar nombres, tres de ellas tan básicas, que es probable que usted las haya utilizado por intuición. Son los *estímulos fonémicos*, que ayudan a recordar por sonido o por letra; los estímulos semánticos, que ayudan a recordar por el contexto; y lo que los psicólogos llaman la técnica del repaso espaciado, que funciona por repetición.

Siempre que uno dice: "Creo que suena como…" o "Creo que empieza por…", esos son estímulos fonémicos. Uno de esos elegantes y pequeños misterios de la mente es que algunas veces uno logre desenterrar la inicial correcta, pero no el nombre; o que la inicial incorrecta lo lleve a uno por el camino correcto como cuando mi esposo dijo: "Creo que empieza por C… ¡Newt Gingrich!".

A menudo recorro todo el alfabeto para buscar una clave: Andrew, Bob, Carol, Donna, Ed... Esto es bueno cuando uno da en el clavo, pero es demasiado tedioso. A mí no me ayuda a dar en el clavo con mucha frecuencia, sin embargo, puede que a usted le dé un buen resultado.

Tal vez la estrategia más simple es la técnica del repaso espaciado, que es tan solo una frase sofisticada para repetir algo una y otra vez, pero a través del tiempo. Aquí, *espaciado* es la palabra operativa. Estudiar datos de prisa, murmurar el nombre de alguien para sí mismo una y otra vez en una secuencia rápida, no es la forma más adecuada de grabar un nombre (o cualquier otra cosa) en la memoria. Es muchísimo mejor repetirla en silencio cuando uno la escucha por primera vez, esperar diez segundos y decirla de nuevo mentalmente, esperar veinte segundos, traerla a la mente de nuevo, esperar treinta segundos, repetir...

Es fácil adquirir el hábito de hacer esto, y me resulta bastante efectivo. En una escala de uno a diez le daría un siete.

El estímulo semántico es un poco más complejo, pero no mucho. Como el contexto le sirve de ayuda a la memoria, y los nombres no lo tienen, la idea es proporcionarles uno. Como en el caso que nos da el Dr. Relkin de Cornell: "Usted puede recordar que conoció a fulano de tal (cuyo nombre no logra recordar) en el zoológico. Y comienza a pensar: '¿Fue donde estaban las jirafas? ¿En la jaula de los monos? ¿Quién más estaba conmigo ese día?'... Como la mente y la memoria trabajan por asociación, el traer a colación elementos relacionados a veces ayuda a engrasar las ruedas del recuerdo". Algunas veces, en efecto, ha engrasado las ruedas del mío.

Esta clase de asociación es una forma de *elaboración*, que simplemente significa tomar lo que uno ya sabe y conectarlo de algún modo a lo que uno desea recordar, en este caso, un nombre.

Un ejemplo: si el nombre es Jane, uno puede establecer una conexión pensando en ella en relación con otra Jane que uno conoce: cómo se siente uno con respecto a esa Jane o cómo, una característica determinada de esta, sea la voz, el tono de la piel o la forma del cuerpo, es similar o marcadamente diferente al de la otra. O uno puede asociarla con otras Janes que *no* conoce: Jane Fonda, Jane Eyre, Lady Jane Grey, "Tú Tarzán, yo Jane"… O, si esta Jane tiene un cabello hermoso, o si no nos cae muy bien, se puede hacer una rima: "Jane tiene una melena" o "Jane es un problema". Aunque, claro, si Jane es una pesada, ¿para qué esforzarnos tanto por recordar su nombre?

De todos modos, esta es la que mejor me funciona. Yo le daría un nueve (nada es perfecto). No es gratuito que así como los especialistas en bienes raíces se mantienen repitiendo el mantra "ubicación, ubicación, ubicación", los especialistas en memoria se mantienen repitiendo el mantra "elaboración, elaboración, elaboración".

Asociar el nombre a imágenes visuales puede dar muy buenos resultados si se hace en forma sencilla. Por lo general, la técnica que enseñan los gurús más sensacionalistas, no es tan simple. Le enseñan a uno a buscar palabras que puedan unirse para que suenen como el nombre que uno quiere recordar, y luego usarlas para crear imágenes mentales extrañas, mientras más extrañas sean mejor, porque lo extraño es memorable.

Ejemplo: usted conoce a John Doe. Usted puede transformar a *John*[1] en la imagen mental de un baño, con paredes forradas en azulejos, espejo y lavamanos, y *Doe*[2] en la imagen de una hembra de venado parada en el lavamanos mirándose al espejo. El nombre Mary Smith puede ser visualizado como una mujer en traje de novia que esgrime un martillo de herrero.[3]

---

1 N.T.: Uno de los significados de John en inglés es baño.

2 N.T.: Doe en inglés es la hembra de venado.

3 N.T.: Mary es similar a *marry*, que en inglés significa casarse y Smith significa herrero.

Esta técnica a veces se vuelve tan intrincada que termina por volvernos el cerebro un nudo. Un gurú que entrevisté me propuso cómo hacer que mi nombre fuera inolvidable (para los demás; yo tiendo a recordarlo): para Martha, dijo, debía imaginar un *marciano (martian)* preferiblemente verde; para Weinman, imaginar un hombrecito pequeño *(man)* encajonado en una botella gigante de vino *(wine)*; para Lear, imaginar a ese hombrecito con una mirada insinuante *(leer)* en el rostro y una gran sonrisa lasciva. Si juntaba todos estos elementos tendría un marciano verde con la mirada fija en un hombre miniatura dentro de una botella de vino gigante que está… "¡Suficiente!", pensé. Sáquennos de aquí a mí y a ese pequeño desgraciado en la botella de vino.

Recuerde, uno tiene que inventar este tipo de cosas de una forma *rápida*, apenas le presenten a Comosellame. Buen truco. ¿Es posible aprenderlo? Por supuesto. También es posible aprender griego.

Pero cuando la visualización se mantiene en un nivel sencillo es un recurso mnemotécnico de una eficacia enorme, porque las imágenes mentales tienen un poder relativo de permanencia. La mayoría de nosotros conserva bien el recuerdo visual hasta mucho después de que el recuerdo verbal comienza a debilitarse un poco. Lo que significa que uno tiende a recordar la apariencia física de Comosellame hasta mucho tiempo después de haber olvidado su nombre.

En eventos sociales atestados de gente, el nivel de ansiedad por el "Rápido, ¿cómo se llama?" puede elevarse de manera considerable, un exceso de adrenalina nerviosa inundará las carreteras, lo que practicamente garantiza que uno no se acuerda de nada. Cuando esto ocurre, y las ayudas mnemotécnicas no nos sirven, recomiendo de corazón utilizar las artimañas que la mayoría de nosotros desarrolla para cubrir las huellas. Después de todo, solo tienen un toquecito de hipocresía.

El Dr. Stern, que dice, al igual que muchos de nosotros, que *nunca* fue muy bueno para los nombres, describe su método personal: "Si estoy hablando con alguien y un tercero llega y sé que debo presentarlos, pero no recuerdo sus nombres, pregunto: '¿Ustedes se conocen?'. Y luego sólo confío en que ellos se presenten entre sí; gracias al cielo, por lo general lo hacen".

Yo doy más vueltas. El salón está repleto de gente, el nivel del sonido es ensordecedor, y sostengo una conversación, o trato de hacerlo, con X (cuyo nombre, por supuesto, se me escapa), cuando Y (ídem) se nos acerca. ¿Qué hacer?

Respuesta: nada. Saludo a Y y continúo con la conversación, si ninguno de los dos pide ser presentado, no hay problema. Si alguno de los dos dice: "Creo que no nos conocemos", yo digo en tono sorprendido: "¡Oh, estaba segura de que ustedes dos se conocían!". Una pausa expectante, que ellos llenan o no con sus nombres. Si lo hacen, estoy a salvo. Si no, digo: "Lo siento, regreso enseguida", y me dirijo al baño, al guardarropa, al bar o a cualquier sitio que no sea ese.

En ese instante, sin embargo, no puedo echar mano de la elaboración o del estímulo semántico o de la técnica del repaso espaciado: todos resultan inútiles porque no recuerdo los malditos nombres. Ya puede apreciar el problema. Me quedo con la fonética: Karen, Larry, Molly, Nancy…

Esta puede o no dar resultado; por lo general no lo hace. Pero de ahí hasta que haya terminado de repasar todo el abecedario, esos dos individuos, cuyos nombres no recordé o se habrán presentado entre ellos, o se habrán dirigido hacia otros invitados cuyos nombres, se lo puedo garantizar, tampoco recordaré.

¿Para qué tanta agitación? Bueno, se me borró su nombre, a usted se le borró el mío y ninguno de los recursos mnemotécnicos acostumbrados nos está funcionando. Aún nos queda reservada una maravilla y es, lo juro, la mejor, la más fácil, la ayuda mnemotécnica más efectiva de todas:

"Lo siento, olvidé su nombre. ¿Le molestaría repetírmelo?".
Infalible. Y nadie lo odiará por querer recordar quién es.

CAPÍTULO DOS

Realizar múltiples tareas a la vez: ¿quién se le mide?

EL PROBLEMA DE LA ATENCIÓN

—¿Cariño —dice ella—, cuando lleves el perro a pasear me pones esta carta en el correo?

—Bueno.

—¿Y me reclamas el vestido en la lavandería?

—Bueno.

—¿Y adivina de qué estoy antojada? De un helado de vainilla, con salsa de chocolate caliente, con nueces y una cereza encima.

—Está bien —él se dirige hacia la puerta.

—¡Espera! Escríbelo o se te va a olvidar.

—No lo olvidaré. Helado de vainilla, con salsa de chocolate caliente, con nueces y una cereza encima —él sale.

Regresa pronto con una bolsita de papel en la mano.

Adentro hay un panecillo.

—¡Te lo dije! —le dice ella—. Se te olvidó el queso crema.

A DECIR VERDAD TODA LA VIDA se me ha olvidado el queso crema.

Este proceso que consiste en realizar múltiples tareas a la vez nunca ha sido mi punto fuerte. Siempre he hecho siete cosas a la vez sin terminar ninguna de ellas. Pero en los últimos años esta tendencia cada vez empeora más, lo que le da peso a mi teoría de que en realidad cuando envejecemos no cambiamos mucho, no en los aspectos esenciales. Simplemente se acentúa lo que hemos sido desde el principio.

Esta teoría se apoya en una amplia base de evidencia no científica. Sin embargo, mire a su alrededor: las pruebas abundan.

Entonces, prosigamos. Una mañana típica, hace muy poco: estoy recogiendo la ropa sucia para la empleada doméstica que viene los lunes. Antes de que llegue suelo ordenar un poco la casa para que ella no descubra que soy un completo desastre doméstico.

Mientras selecciono la ropa, veo un descosido, pequeño, fácil de arreglar. Voy por el costurero, adentro encuentro el botón que desde hace tiempo le falta a un abrigo de invierno; saco el abrigo, esto me recuerda que no he guardado la ropa de lana por el verano, así que abro el cajón de los suéteres y comienzo a cepillarlos; esto me trae a la mente de inmediato que alguien (¿quién fue?, creo que empieza por B) me dijo que los clavos de olor son un mejor repelente para las polillas que las bolas de alcanfor, así que me dirijo al anaquel de la cocina donde están las especias y en esas suena el teléfono.

Cuando termino de hablar, encuentro esta estela de desorden que va desde el cuarto de ropas al closet de linos, pasa por el armario de los abrigos, el cajón de los suéteres y el anaquel de la cocina hasta el teléfono, y ninguna de las tareas está concluida.

No puedo echarle toda la culpa a la sobrecarga. Todos estamos sobrecargados. Pero también lo estaban nuestros bisabuelos, al menos los míos, que tenían que recoger la leña para alimentar el fuego, para calentar el agua, para lavar la ropa y demás, y solo Dios sabe cómo guardaban la ropa de lana.

Tampoco puedo echarle toda la culpa a mi carácter desordenado. No, esto es algo que nos ocurre a la mayoría de nosotros cuando llega a la plenitud de la edad madura, y que sin duda también les ocurrió a nuestros antepasados: nos damos cuenta de que se hace más difícil repartir la atención, que, por lo demás, se conoce con el nombre detestable de multitareas. (Una pequeña digresión: hay ciertas palabras y expresiones que me sacan de quicio y no podría explicar el porqué. "Tiempo de calidad" es una de ellas, "crecer la economía" es otra, y "multitareas" pertenece a esta misma lista.)

De cualquier modo, sea cual sea el nombre que le demos, es el segundo de los tres síntomas más comunes de la pérdida normal de la memoria, casi a la par que el olvido de los nombres. El tercer elemento de esta troika, que entra en acción casi al mismo tiempo —ah, el tiempo acordado por los dioses— es el procesamiento. Comenzamos a demorarnos más en procesar nueva información. Ambos problemas son mucho más graves para nosotros de lo que eran para nuestros antepasados, porque muchos de nosotros todavía trabajamos tiempo completo con todas las presiones que esto conlleva, en edades en las que ellos ya hacía tiempo se habían retirado por voluntad propia o ajena.

Los expertos en memoria recitan, como si fuera el catecismo, ese cuarteto sagrado y bien conocido de factores que afectan la memoria:

1. Alimentarse de un modo saludable
2. Evitar el estrés (je, je)
3. Dormir mucho
4. Hacer ejercicio en forma regular, esto también incluye el ejercicio mental

Todos sabemos o debemos saber bastante, sobre este cuarteto sagrado. Es difícil vivir en esta época y *no* saber de qué se componen una buena dieta y un buen régimen de ejercicios, cómo se maneja el estrés y la importancia de todos estos factores para tener una buena memoria. Pero cuando se trata de entender la *mala* memoria normal (que solo *suena* como un oxímoron) que nos puede afectar por la dificultad en la ejecución simultánea de tareas y en la disminución de la velocidad de reacción, no sabemos mucho.

Una de las causas de estos problemas parece radicar en el hipocampo, el área del cerebro que es considerada como una especie de centro de recepción y distribución de nueva información. *El lugar de la memoria*, así lo llama la Dra. Margaret Sewll, directora del Programa para el mejoramiento de la memoria en el Mount Sinai Hospital de la ciudad de Nueva York.

"Cualquier daño en el área del hipocampo va a producir problemas de la memoria de una clase u otra —dice ella—. A partir de los cuarenta y cinco años, probablemente, se pierden células en esta área a una velocidad considerable. Esto es normal —también es normal *ganar* células en esta área; en la actualidad se cree que el hipocampo genera nuevas células a lo largo de toda la vida aunque este proceso se hace más lento con la edad—. Como en la mayoría de los casos, podemos entender mejor la patología que el funcionamiento normal. Se tiene bastante conocimiento sobre la enfermedad de Alzheimer, es decir, de lo que funciona mal. Pero cuando las cosas funcionan bien, tenemos menos conocimiento".

Esa es la ironía de costumbre. Lo normal no es sexy. Lo normal no atrae ni a las gigantescas casas farmacéuticas ni a la cobertura periodística. Lo normal no genera (como lo hacen el cáncer, el SIDA y, para el caso, el Alzheimer) grupos de interés especial, ni lobbies, ni el clamor público a favor de causas y curas.

La Dra. Sewell es vivaz, está llena de ese encanto irlandés de Boston y parece una jovencita. Cuando nos conocimos tenía cuarenta y dos años y ya estaba pasando apuros, según me dijo, cuando le pregunté si notaba algún cambio en el funcionamiento de su memoria.

"Oh, sí. Me da dificultad encontrar la palabra exacta. Tengo más problemas que a los veinte para realizar varias cosas a la vez, ahora esto me resulta *muy* difícil. Todo lo anterior ha venido pasando desde que tengo veinte años, pero la gente por lo general no lo nota hasta que llega a los cuarenta".

Por fortuna, el problema de realizar múltiples tareas a la vez es mucho más fácil de tratar que de entender. Esta es la forma como la Dra. Sewell y sus colegas lo abordan en el Programa del Mount Sinai: "En primer lugar, quiero aclarar que esto no tiene nada que ver con ser capaces de aparecer en el show de *Oprah* y recitar cinco mil dígitos. Nuestro objetivo no es tanto mejorar las destrezas, sino compensar las destrezas que se puedan estar debilitando. Sabemos que esto es cierto con respecto a la actividad física: si uno tiene dieciocho años o cincuenta y ocho años puede correr una maratón, pero el entrenamiento será muy diferente en cada caso. Si tengo cincuenta y ocho años tengo que empezar por caminar, luego correr un cuarto de milla y además tengo que compensar y tomarme la aspirina con tiempo... Esto aplica también para el conocimiento. Sin embargo, creemos en el mito de que tiene que ser igual a cuando teníamos dieciocho años".

Le pregunto a la Dra. Sewell: "¿Usted sugiere que tal como aceptamos que nuestras capacidades físicas sufrirán cambios, debemos aceptar que nuestras capacidades cognitivas también cambiarán?".

"¡Por supuesto! —esto se lo refutarán los investigadores que sostienen que el problema no es la edad, sino el estilo de vida. Como la mayoría de los especialistas en memoria, la Dra. Sewell culpa a ambos factores y solo Dios sabe la cantidad de culpa que hay que repartir—. Porque cuando uno lo acepta, puede empezar a compensar estos cambios y darle un verdadero giro a la vida cotidiana".

"En el ambiente típico de trabajo, todo lo hacemos mal. Tengo un correo electrónico, un teléfono, un fax, un buscapersonas; la secretaria me dice algo, hablo por el celular y también estoy tratando de leer un artículo para dar una conferencia sobre el tema en una hora. Y me digo a mí misma: '¿Por qué será que no estoy reteniendo nada de este artículo?'.

La forma de compensar esto es sencilla: cambio la forma como organizo mis labores. Digo: 'Durante veinte minutos no voy a recibir llamadas ni a revisar el correo electrónico'. Usted sabe lo tentador que es abrir el correo apenas uno ve la señal de que entró un mensaje. Todo esto queda *suspendido* durante esos veinte minutos que voy a invertir en la lectura del artículo antes de la conferencia. Reservaré tareas específicas para determinadas horas del día. No intentaré planear unas vacaciones mientras el televisor está encendido y el teléfono está timbrando. Esto no es ingeniería espacial, pero la diferencia que las personas perciben en la medida en que empiezan a recortar tareas simultáneas que llevan a cabo y que no son obligatorias, es *sorprendente*. Pero esta cultura va a una velocidad tal que la gente tiende a no intentarlo".

Concebir el proceso de la memoria como una obra teatral en tres actos no es simplificar *demasiado*:

1. Adquisición: ingresar un nuevo elemento de información
2. Almacenamiento: archivarlo
3. Recuperación: sacarlo

La queja de haberlo olvidado todo, por lo general significa, como lo dicen la Dra. Sewell y el Dr. Stern de la Universidad de Columbia, que no podemos recuperarlo: no puedo encontrar esa cosa que está en algún lugar en mi cabeza. Pero si no estábamos atentos cuando la escuchamos quizá nunca fue almacenada. Y lo que nunca llegó a ser almacenado, nunca podrá ser recuperado.

"La clave para un funcionamiento saludable de la memoria a *cualquier* edad es la atención —dice la Dra. Sewell—. Todo lo que es necesario hacer para mejorar la memoria gira en torno a esa habilidad: poner atención. Uno acepta que no puede leer todo el periódico de la mañana cuando va para el trabajo y en el tren en el que viaja hay una pelea, la música retumba y además uno lleva puestos audífonos con su propia música. Cuando uno llega a la oficina se encuentra con que hay una crisis y uno piensa: 'Ay, Dios, se me está acabando la memoria. No recuerdo *nada* de lo que leí esta mañana'.

Pero, ¿cómo sería posible recordarlo? Es decir, una persona de dieciocho años quizá pueda lograrlo. Una persona de esta edad puede estudiar para un examen de química en medio de una fiesta cervecera en la universidad y aun así pasarlo. Pero a medida que uno envejece, tiene que volverse selectivo. Y esto hay que hacerlo de un modo *brutal*".

(Puede que esta misma persona de dieciocho años esté aumentando su capacidad de atención con anfetaminas. Se sabe con certeza que los estimulantes como las anfetaminas, la cafeína y la nicotina pueden mejorar la concentración. Puedo dar fe de ello. Durante treinta años fui una fumadora más que empedernida: entre dos y dos y medio paquetes diarios, todos los días, excepto cuando tenía episodios de gripe o de fiebre. Intenté dejarlo una y otra vez, pero siempre perdía la batalla frente a la máquina de escribir, porque era imposible concentrarme en el trabajo o en cualquier otra cosa que no fuera desear, con todas mis ansias, un cigarrillo. Lo que finalmente me permitió alcanzar el resultado no fueron las amenazas contra la salud, ni la descripción del enfisema, ni las fotografías de los pulmones invadidos de cáncer con los que intentaban quitarme el hábito de la condenada mala hierba en las reuniones de la Asociación Estadounidense del Corazón, de la Asociación Estadounidense de Cáncer y de los Adventistas del Séptimo Día (ni una visita donde el hipnotizador), sino la sensación espeluznante de estar convirtiéndome cada vez más en una marginada social. Entonces lo dejé para siempre y pensé que la incapacidad para concentrarme me iba a matar. Esto se prolongó durante algunos meses difíciles. La goma de mascar de nicotina, dicho sea de paso, fue de gran ayuda.

Ahora, veinte años después, el mero olor del humo de cigarrillo irrumpe en mi concentración y me hace sentir náuseas. Esto en cuanto a la indispensabilidad de los estimulantes.)

Analicé el método de la Dra. Sewell con dos amigos que tienen una autodisciplina casi tan débil como la mía. Todos hicimos el intento, quizás no de un modo *brutal*, pero sí resuelto, y todos hemos obtenido básicamente el mismo resultado.

Todavía tenemos dificultades para terminar una tarea aislada antes de saltar a otra. Pero en lo concerniente a la categorización de las tareas —tal como no leer correos electrónicos hasta cierta hora, no contestar llamadas que no sean urgentes hasta no completar cierta cantidad de trabajo, no salir a hacer diligencias hasta que las cuentas no estén pagas— al imponerle a estas tareas cotidianas una secuencia estricta hemos descubierto que, aunque no sea ingeniería espacial, sí organiza nuestros actos, de una manera radical.

En los últimos años, en la medida en que realizar varias tareas a la vez se me ha vuelto un problema, yo misma he hecho una combinación, que me ha dado buenos resultados, de varios recursos mnemotécnicos muy sencillos, basados en conexiones y asociaciones, el tipo de cosas que muchos de nosotros descubre por intuición.

Soy una gran fanática de los acrónimos. Si mañana tengo que recoger mis zapatos en la zapatería, ir a donde el optómetra para que me arregle los anteojos y acordarme de comprar mantequilla, escojo la *M para mantequilla*, la *O para optómetra* y *Z para zapatería*: MOZO. A la mañana siguiente, ahí está, claro que sí: MOZO. Voy y lo hago.

O utilizo la vieja técnica confiable de la imagen mental. Visualizo la ruta que voy a seguir desde mi casa hasta la zapatería, el optómetra y el supermercado, *viendo* de verdad la ruta en el ojo de mi mente.

O me invento una pequeña narración, nada complicado. Mañana tengo que arreglar mis anteojos para que pueda leer la "fecha de vencimiento" en la mantequilla y asegurarme de que mis zapatos queden bien arreglados.

Cualquier cosa que funcione. Pero si la lista de tareas pendientes es larga, ni siquiera intento usar ninguna de las anteriores. ¿Para qué fatigarme así? Hago una lista. Para eso sirven las listas escritas.

★ ★ ★

De igual manera se puede mejorar el tercer elemento en la troika de problemas de la memoria: la disminución en la velocidad para asimilar información.

Lo que debemos hacer, dice la Dra. Sewell, es ser más generosos con nosotros mismos, nunca hace daño seguir este consejo. Debemos darnos más tiempo para asimilar y elaborar.

En una prueba de memoria descrita por ella, a un grupo de personas que tienen entre veinte y treinta años y entre setenta y ochenta años, se les lee un relato una sola vez. A la media hora, a cada individuo se le pregunta qué recuerda de la historia. A las personas jóvenes siempre les va mejor en esta prueba.

"Y los más viejos siempre preguntan: '¿Esto quiere decir que mi memoria está empeorando?'. Bueno, algunos estudios sugieren que no es la memoria en sí la que se reduce, sino la velocidad del procesamiento cognitivo. Las personas de más edad simplemente necesitan tener contacto durante más tiempo con el material. Si se les repite el relato *tres* veces seguidas, a la media hora la persona de setenta y cinco años podrá recordar la historia tan bien como la de veinticinco años".

Las implicaciones de esto son fascinantes: "Si usted está dispuesto a concentrarse un poco más, reducir los factores de distracción, repetir más, practicar más… ¿Quiere aprender italiano a los noventa años? ¡Está bien! Va a tardar un poco más de tiempo, pero, suponiendo que no haya ninguna patología, ¡puede hacerlo!".

La Dra. Sewell cuenta que a su consultorio llegan con mucha frecuencia personas muy brillantes, de alto desempeño, que tienen cargos en los que tienen que recordar muchísimo y en diversos frentes a la vez, totalmente *aterrorizadas* porque su desempeño no es tan eficiente como antes. Le preguntan: "¿Cómo es posible que no recuerde la novela que me leí en la playa el verano pasado, pero que sí recuerde los monólogos de *Hamlet* que leí en décimo grado?".

Dejaré de lado el hecho de que me siento profundamente agradecida por no recordar las novelas que leí en la playa y lo conectaré con una pregunta que con frecuencia me he planteado: ¿Cómo es posible que no pueda recordar ni una frase de los diálogos de una película que vi la semana pasada, pero que pueda recordar a la perfección la letra de *My Funny Valentine (Mi gracioso Valentine)* y de *My Way (A mi manera)* y *These Foolish Things Remind Me of You (Estas cosas tontas que me acuerdan de ti)*?

Respuesta: la repetición y la elaboración.

Aquellos de nosotros que estudiamos a *Hamlet* no solo nos leímos la obra. La discutimos escena por escena, es probable que hayamos tenido que memorizar "Ser o no ser…" y practicarlo en casa, recitarlo en voz alta en clase, analizarlo línea por línea, hacer un trabajo escrito y presentar un examen.

En resumen, repetimos ese material muchísimo más que la novela popular que leímos en un par de horas el verano pasado. Y sólo Dios sabe cuántas veces en la vida he escuchado y cantado mis canciones preferidas de Sinatra. ¿Tiempo de asimilación? El suficiente como para que las asimilara hasta la médula de los huesos.

Tiempo de asimilación. Este es un ejemplo de la vida diaria que la Dra. Sewell nos trae:

¿Tiene dificultad para mantenerse al día con las noticias? ¿Tiene un tiempo limitado para hacerlo?

No trate de leer todo el periódico. En lugar de esto concéntrese en las historias de la primera página. Incluso intente leer sólo los titulares y los primeros párrafos. Léalos varias veces, formúlese preguntas sobre estos:

¿Cuál era la palabra principal del titular?

¿Cuál era la esencia de este párrafo?

¿Cuáles eran los tres puntos principales que planteaba?

Y así sucesivamente, tal como si estuviera presentando un examen en el bachillerato.

Lo intenté. Inversión pequeña, grandes ganancias. Tardé muchísimo menos en asimilar muchísima más información y la retuve por más tiempo.

El historiador Ronald Chernow de cincuenta y ocho años, autor de biografías premiadas de longitud épica como las de Alexander Hamilton, J.P. Morgan y Johns D. Rockefeller, Sr., tiene que llevar a cabo hazañas herculeanas con la memoria en cada libro. Me describe cómo utiliza el concepto del tiempo de asimilación:

"Un gran truco para mí es concebir la memoria como si fuera un proceso en dos pasos. Primero, mi mente capta algo. Pero esto se desvanecerá con rapidez a no ser que lo refuerce. Entonces, tomo algunas notas sobre el tema —él escribe estas notas en fichas de cuatro por seis pulgadas; hace entre veinte y treinta mil fichas por libro—. O salgo a caminar, sigo analizando el asunto y luego tomo notas. Ese segundo paso es necesario para fijarlo, *fijarlo* realmente, en mi memoria.

Hace mucho tiempo hice el Curso de lectura rápida de Evelyn Wood. El método que enseñaban era mover el dedo de un lado a otro de la página y luego anotar lo que uno retuviera. Pensaba que era un fraude. Pero luego caí en cuenta de que habían tenido la astucia de incluir el segundo paso. La gente recordaba más y se lo atribuía al método. Pero en realidad era porque tomaban esas notas".

La Dra. Sewell dice que su propio padre es un ejemplo impresionante de lo que puede lograrse cuando nos damos tiempo para absorber nuevo material. Él tiene casi setenta años y trabaja en un negocio que tiene relación con la física del software.

"Asiste a seminarios con gente joven —él los llama chicos; tienen entre treinta y cuarenta años— en los que deben asimilar una gran cantidad de información nueva y compleja. Siente pánico porque no puede asimilarla tan rápido, al día siguiente regresa y los chicos ya tienen toda esa información en la cabeza. Él está seguro de que le está dando Alzheimer.

Bueno, yo no creo en lo absoluto que tenga Alzheimer. Él se ha dado cuenta, supongo que en parte porque he hablado con él, de que si se lleva el manual a casa y saca tiempo durante el fin de semana para organizar la información en su cabeza, el lunes en la mañana está listo para correr a la par con los chicos de treinta y cinco años.

Mucha gente simplemente no se da cuenta de que puede compensar estas cosas. Uno tiene que convertirse en un alumno activo. Uno tiene que captar la información a través de varios sentidos; esto significa no limitarse a leer algo, sino tomar notas, plantearse preguntas, escribirlo todo, repetirlo en voz alta. Y luego repetirlo en voz alta de nuevo".

Igual que con el monólogo de *Hamlet*.

O con *estas cosas tontas que me acuerdan de tiiiiii...*

Ah, la poesía de mi corazón joven. Olvidaré mi propio nombre antes de olvidar las letras de esas canciones.

Así que cuando necesito memorizar, hago lo que se me aconsejó: me tomo el tiempo, tomo notas, repito, recito, trato de ser una alumna activa. Todas son buenas tácticas de compensación.

Pero cuando llega el momento de realizar múltiples tareas a la vez —lo que para muchos de nosotros equivale a un sinfín de tareas cotidianas y a menudo superpuestas de la vida laboral, la vida doméstica y la vida social— no me parece que sea justo enloquecer las piezas de mi cerebro con el reto. En ese caso regreso a mi táctica compensatoria para todo propósito, a prueba de todo tipo de climas, la favorita de todos los tiempos: Las Listas. *Listas*, mis incansables compañeras de trabajo cuando se trata de hacer múltiples tareas a la vez.

Piense en esto: ¿A los expertos en memoria, las mentes más agudas que trabajan en los centros investigativos más grandes del mundo, se les ha ocurrido alguna vez algo mejor que la lista titulada *Cosas para hacer mañana*?

Nunca.

Lo único que tengo que recordar es dónde puse la lista.

—Jamás olvidaré, *jamás* —prosiguió el Rey—, el horror de aquel momento.

—A pesar de todo, lo olvidarás —dijo la Reina—, a no ser que escribas un memorando sobre el hecho.

Lewis Carroll, *A través del espejo*

CAPÍTULO TRES

Perder un poco, ganar un poco

EL LADO POSITIVO DEL OLVIDO

IMAGÍNESE, SI PUEDE, A SHERLOCK HOLMES, el maestro inmortal de la memoria, predicando las virtudes del olvido.

Holmes, que puede decirle a uno qué marca de cigarrillo fuma (mientras que yo, con la pasión de una ex fumadora, espero que no lo haga), sólo con oler las cenizas, y a qué lugar viajó, sólo con darle un vistazo al polvo de sus zapatos. Holmes, que ha sido bendecido, como él mismo lo diría con complacencia, con la mejor memoria, la percepción más aguda, el don más grande, a este lado del Támesis, para recordar algo a la perfección; es este Holmes, precisamente él, el que nos da lecciones, justo entre todos los temas, sobre la importancia del olvido.

Bueno, *no hay problema*, maestro. Usted está hablando con expertos.

La lección aparece en *Estudio en Escarlata*, el primer misterio de Sherlock Holmes. Esta es la situación:

Holmes y el Dr. Watson se acaban de conocer. Ambos están jóvenes, tienen muy poco dinero y con el fin de ahorrar deciden compartir un apartamento, la famosa residencia en el No. 221 B de Baker Street.

A medida que se van conociendo, Watson comienza a descubrir algunos baches extraños en el sorprendente bagaje de conocimiento de su compañero, y ninguno más extraño que este: Holmes no sabe que la tierra gira alrededor del sol.

Watson no puede creerlo. Está perplejo. Él mismo nos lo dice así:

—Parece usted sorprendido —dijo sonriendo ante mi expresión de asombro—. Ahora que me ha puesto usted al corriente, haré lo posible por olvidarlo.

—¡Olvidarlo!

—Entiéndame —explicó—, considero que el cerebro de cada cual es como un pequeño ático vacío que vamos amueblando con elementos de nuestra elección. Un necio echa mano de cuanto encuentra a su paso, de modo que el conocimiento que pudiera serle útil, o no encuentra cabida o, en el mejor de los casos, se halla tan revuelto con las demás cosas que resulta difícil dar con él. El operario hábil selecciona con sumo cuidado el contenido de ese cerebro-ático. Sólo de herramientas útiles se compondrá su arsenal, pero éstas serán abundantes y estarán en perfecto estado. Constituye un grave error el suponer que las paredes de la pequeña habitación son elásticas o capaces de dilatarse indefinidamente. A partir de cierto punto, cada nuevo dato añadido desplaza necesariamente a otro que ya poseíamos. Resulta por tanto de inestimable importancia vigilar que los datos inútiles no arrebaten espacio a los útiles.

—¡Sí, pero el sistema solar! —protesté.

—¿Y qué cambia en mí el sistema solar? —interrumpió, ya impaciente—: dice usted que giramos en torno al sol… Que lo hiciéramos alrededor de la luna no afectaría un ápice a cuanto soy o hago.

Eso es lo que yo llamo confianza en sí mismo.

Es una idea muy ingeniosa pensar que la mente funciona como el sistema de una puerta giratoria: un dato entra, un dato sale. Ingeniosa, pero falsa.

Podemos golpearnos la cabeza y decir: "El disco está lleno", o "Ya no hay más espacio en el disco duro". (Igual que cuando nuestros padres decían: "Debo estar envejeciendo", ¿pero quién dice *eso* en esta época? Dentro de los imperativos de la corrección política, *la sordera es deficiencia auditiva, retrasado es especial* y *viejo* no existe.) Pero nosotros en realidad no sabemos cuánto se pueden expandir las paredes de ese cerebro-ático.

Es verdad, como lo dijo el Dr. Barry Gordon, neurólogo, fundador de la Clínica de la Memoria en Johns Hopkins, en Baltimore: "Cuando la gente envejece, hay más interferencia de otros recuerdos. Tienen un montón de material en la cabeza que no está en la cabeza de la gente más joven".

Esto tiene ventajas y desventajas, como él lo señala: uno tarda más en desenterrar lo que sabe, porque sabe mucho más de lo que sabía antes. Pero no hay ninguna evidencia de que haya que desechar algo de ese conocimiento para abrirle espacio a más conocimiento.

Sin embargo, Holmes tiene toda la razón en el punto central que defiende: olvidar es esencial. Esto va tan en contra del sentido común como esa frase inmortal del cine pronunciada por el actor Michael Douglas: "La codicia es buena". Pero es verdad: olvidar es indispensable. Olvidar, diría yo, a riesgo de sonar demasiado sentimental, es parte de lo que nos hace humanos, razón que lleva a muchos expertos en memoria a creer que, de hecho, estamos programados biológicamente para olvidar.

Estoy en la oficina de la Dra. Gayatri Devi, profesora clínica adjunta de neurología y psiquiatría de la Escuela de Medicina de la Universidad de Nueva York, directora de los Servicios para la Memoria de Nueva York y especialista en el tratamiento de desórdenes de la memoria. Esta oficina, en la que una infinidad de pacientes han expresado sus temores, a menudo infundados, de que algo curioso pero inquietante le estaba pasando a su memoria, parece una sala confortable y lujosa. Hay un perro grande, hermoso, acostado en el suelo, roncando con tranquilidad. (La Dra. Devi también es hermosa, un hecho que me llama la atención porque los neurólogos/psiquiatras, como gremio, no son guapos.)

La doctora explica el proceso a través del cual siempre estamos buscando, seleccionando, filtrando la entrada de datos, tomando decisiones sobre qué recordar y qué no, y lo hacemos sin pensarlo de modo consciente.

"Lo que la gente olvida —dice ella de forma concisa—, es que *fuimos hechos* para olvidar. ¿Por qué? Bueno, porque la función principal de un organismo siempre es sobrevivir. Si yo no puedo olvidar en este minuto todas las cosas que hay alrededor mío en esta habitación, si no puedo olvidar lo que hay en las paredes, lo que hay en el piso —¿El perro, podría ella olvidar el perro?—, si no puedo olvidar cómo se ve y se siente todo lo que hay aquí, si no puedo priorizar lo que necesito recordar, entonces me quedo absorta en toda una variedad de detalles irrelevantes, y no puedo prestarle atención a usted, soy incapaz de conectarme, y fracaso como organismo vivo".

Sabemos muy bien cómo olvidar a propósito. Tal vez de manera inconsciente, pero no obstante, a propósito. Por ejemplo: olvidamos las invitaciones que nos vimos forzados a aceptar por algún motivo. (Una buena norma en este caso es nunca aceptar una invitación que uno no quiere corresponder. No siempre la acato, pero es una buena norma.) Olvidamos llamar a las personas porque estamos molestos con ellas, o porque ellas no se acordaron de llamarnos, o quién sabe por qué más.

Numerosos estudios han demostrado que cuando estamos deprimidos nos da una gran dificultad recordar cualquiera de los momentos felices que hemos vivido, si bien tenemos una memoria asombrosamente buena para los momentos infelices. El recuerdo se alimenta de los sentimientos y los sentimientos del recuerdo y así damos vueltas y vueltas, cuesta abajo.

Tenemos más aptitud para olvidar los nombres de las personas que nos desagradan que los de las personas que nos agradan. Recuerdo a una amiga que de repente fue incapaz de recordar el nombre de su ex esposo, con quien había estado casada once años. "¿Puedes *creerlo*?", preguntó. Claro que puedo. La mente, después de todo, tiene una mente propia. La memoria tiene prejuicios. Ella odiaba a ese hombre y había sepultado su nombre bajo tantas capas compactadas de odio, que no era de extrañar que no pudiera desenterrarlo.

Olvidar nombres es también una forma de competitividad de larga data y no *necesariamente* consciente. (El mundo da vueltas, pero la naturaleza humana no. "A veces podemos olvidar con provecho lo que sabemos", dijo el escritor sirio, Publilius Syrus. Lo dijo en el 42 a.C.)

Pero nada de esto era lo que Holmes tenía en mente. Él se refería a la necesidad de abrirse paso a través del fango de información que nos asalta cada día, algo que él hace con mucha más prudencia que nosotros.

Piense en esos hechos que son puestas en escena, un recurso muy utilizado en las clases de derecho: alguien irrumpe en una habitación, saca una pistola, le dispara a otra persona y hay unas buenas dosis de gritos, caídas y alboroto; después se llama al orden a la clase y se le pregunta a todos los estudiantes qué pasó.

Habrá diferencias tan abismales entre los recuerdos del hecho (¡y las llamamos versiones de testigos oculares!) como para enloquecer a un jurado, porque en realidad no percibimos todo lo que ocurre, solo pensamos que lo hacemos.

El hombre de Conan Doyle, por supuesto, solo dejaría pasar por alto los detalles irrelevantes. Esta es la diferencia fundamental entre Holmes y nosotros: el maestro olvida de manera deliberada. Nosotros lo hacemos de manera automática. Pero también, a pesar de nosotros mismos, llevamos a cabo una buena cantidad de olvido eficiente. Lo que además es bueno.

El neurólogo de la Universidad de Cornell, Norman Relkin, no se anda con rodeos: *"Olvidar es casi tan importante como recordar* —las bastardillas son mías—. Tenemos que ser capaces de olvidar las cosas irrelevantes, porque si no lo hiciéramos, nos mantendríamos en un estado permanente de sobrecarga de información". Un estado que nos generaría problemas muy, muy grandes.

Hay condiciones en las que la gente pierde la habilidad para olvidar. Estas se llaman, de hecho, trastornos del olvido.

El más común, desgarradoramente común en tiempos de guerra, es el trastorno por estrés postraumático: las víctimas de eventos traumáticos como incendios, violaciones, accidentes violentos y desastres naturales son incapaces de evadir sus recuerdos (salvo, quizá, a través de intervenciones químicas, una perspectiva muy controvertida que analizaremos en el capítulo diecisiete, *Más allá de la generación del bótox: la memoria y el mañana*).

Hemos visto películas de guerra sobre traumas que se reviven a perpetuidad: el protagonista está en el campo de batalla, los proyectiles estallan a su alrededor, ve a su compañero volar en pedazos, regresa a casa, y se descompone cada vez que una puerta se cierra ruidosamente. Hemos visto suficientes casos de estos como para poder reconocer el síndrome, así no tengamos el hecho real que nos lo recuerde.

Pero hay trastornos del olvido menos comunes. Hay un caso famoso en la literatura, un relato breve titulado *Funes el memorioso,* del escritor argentino Jorge Luis Borges.

Funes, un aldeano inocente, se cae de un caballo y queda inconsciente. Cuando recupera la conciencia se da cuenta de que se ha convertido en una máquina de memoria. El accidente, que lo dejó tullido, lo dejó además con una memoria perfecta. Se acuerda de todo, y no puede olvidar nada.

Tiene el recuerdo perfecto de cada una de las cosas que le han sucedido en la vida, de cada dato que ha aprendido, de cada persona que ha conocido, de cada palabra que ha dicho o que le han dicho, de cada detalle de cada imagen ("cada hoja de cada árbol", escribe Borges) que se ha cruzado por su campo visual.

Es lo que los profesionales denominan *memoria eidética,* refiriéndose a la memoria visual y a lo que los demás llamamos, en lenguaje común, memoria fotográfica. Cada recuerdo en el cerebro asediado de Funes es una imagen mental definida. Él no puede pensar, no puede dormir; lo único que puede hacer es recordar. Está paralizado por el peso de sus recuerdos. "Mi memoria, señor, es como un vaciadero de basuras", le dice al narrador.

Borges mismo dijo que el relato no era más que una larga metáfora del insomnio. Pero al leerlo, pensé en el caso de la vida real de un hombre cuyo destino se parecía mucho al del desdichado Funes. Son, en efecto, casos asombrosamente similares, excepto que uno es una obra de ficción y el otro es uno de los más famosos estudios sobre un caso práctico en la historia de la investigación de la memoria.

El psicólogo ruso Aleksandr Romanovich Luria, profesor de psicología de la Universidad de Moscú, invirtió veinte años estudiando a un sujeto, a quien identificó sólo como S. (después se supo que era Shereshevskii). En 1968 registró sus hallazgos en un libro llamado *La mente de un mnemonista,* subtitulado *El pequeño libro de una gran memoria.*

Grandísima, sin duda: el potencial de memoria de S. era inmensurable, literalmente. Los científicos fueron incapaces de medirlo. Las paredes del ático de la imaginación de Conan Doyle sencillamente volaron en pedazos.

"Había sido incapaz —nos dice el Dr. Luria—, de llevar a cabo lo que uno consideraría la tarea más simple que un psicólogo pueda realizar: medir la capacidad de memoria de un individuo… porque parecía que ni la capacidad de memoria de S., ni la permanencia de los rastros que retenía, tenían límite".

Lo que los psicólogos denominan *memoria a corto plazo* por lo general desaparece después de unos segundos, contrario a la *memoria a largo plazo* que es el tipo de memoria que va al almacenamiento profundo. Un ejemplo común: uno busca un número telefónico en la guía, lo repite sin parar hasta llegar al teléfono, digita el número y está ocupado. Cuelga la bocina. En un minuto o dos, cuando está listo para volver a digitar, tiene que buscar el número de nuevo. Esa es la memoria a corto plazo.

Para S., la memoria a corto plazo no existía. Toda era a largo plazo. Luria le daba series de palabras o de números, treinta, cincuenta, setenta a la vez, y él las repetía sin alterar el orden. Cuando Luria se las volvió a preguntar años después, *quince* años después, cuando S. ya se había convertido en un mnemotecnista famoso que realizaba hazañas de talla olímpica con su memoria en escenarios públicos, él todavía podía recitar, sin ningún error, cualquiera de estas series.

El funcionamiento de una mente como esta es un misterio. Es probable que la gente que la posea tenga mecanismos innatos algo diferentes a los de la gente corriente. Nacen con memorias superiores que pueden aguzarse aún más por medio de recursos mnemotécnicos elaborados, como reemplazar números por letras, o crear imágenes visuales extrañas como las descritas en el Capítulo uno, técnicas que ellos, a diferencia de nosotros, pueden dominar con facilidad.

La gente que tiene una memoria de este tipo puede terminar, al igual que S., haciendo presentaciones en público. Invitan, por ejemplo, a cien personas del público para que digan en voz alta el nombre y luego repiten todos estos nombres en perfecto orden para asombro de todo el mundo. La memoria eidética puede ser una bendición, o por lo menos un negocio muy lucrativo. Pero también puede ser una maldición como lo fue para S., que por más que luchó, simplemente no pudo aprender a olvidar.

Como el imaginario Funes, pensaba en imágenes. Como Funes, no podía avanzar más allá de los detalles visuales que inundaban su cerebro para asir el significado que estos contenían. Era un hombre a quien *en realidad* los árboles le impedían ver el bosque.

Cuando trató de leer, cada palabra le evocaba una imagen gráfica separada y le generaba un caos. No podía generalizar, no podía categorizar, no podía interpretar la experiencia. Sólo podía recordarla en términos literales, fotográficos.

De hecho, así es como funciona la memoria de los bebés, en forma literal. "La idea es que en la infancia —dice el Dr. Relkin—, uno puede retener una representación literal de las experiencias sensoriales, pero uno no tiene la habilidad de organizarla en otro tipo de secuencia significativa por fuera del orden en el que ocurrió en la realidad".

En la infancia temprana, explica, uno comienza a ser capaz de unir las cosas, pero "sólo a los siete u ocho años de edad adquiere la habilidad para contar una historia por fuera de una secuencia temporal. Después se da un paso más y uno comienza a hablar de manera simbólica y a extraer temas específicos de una historia en lugar de recordar necesariamente, de un modo literal, lo que sucedió. La dirección en que apunta el desarrollo es a que uno sea capaz de codificar representaciones cada vez más y más grandes, pero cada vez con menos y menos detalles. Ese es el precio que se paga: para ser capaz de formular abstracciones y tener un pensamiento simbólico, se debe renunciar a ese tipo de memoria eidética inicial".

S. pagó precisamente el precio contrario. Conservó esa increíble memoria, pero renunció, no es que tuviera alternativa, al desarrollo normal. Su memoria extraordinaria creó, nos dice el Dr. Luria, una mente que era una pila de basura.

Hace muchos años escribí una reseña biográfica en *The New York Times Magazine*, sobre un hombre que en ese tiempo era el director de la oficina de medicina forense de la ciudad, el legendario Milton Helpern. En la reseña relato que me mostró una filmina del rostro de una víctima de asesinato, una toma en primer plano, con un globo ocular que pendía con delicadeza sobre el pómulo. "Parece una de esas pinturas surrealistas de Dalí —dijo el Dr. Helpern—. He aquí a la vida imitando al arte".

La vida imitando al arte. Ese recuerdo se me vino de inmediato a la cabeza cuando leí sobre Funes con su mente tipo vaciadero de basuras, un relato totalmente ficticio escrito casi un cuarto de siglo antes que la verdadera historia del caso de "S." con su mente "pila de basura". He aquí al arte anticipándose a la vida.

Algunas veces, cuando estoy en la cama de noche repasando lo que recuerdo de los hechos del día y tratando inútilmente de recordar qué almorcé, soy capaz, durante un momento dulce y fugaz, de asumir un punto de vista de veras holmesiano.

Oye, pienso, *olvídalo*. No estoy acostumbrada a alabar mis olvidos, pero déjame estar agradecida por no recordar qué almorcé hoy. No hay ninguna razón en el mundo por la que deba recordarlo. Holmes no necesitaba recitar el menú para trabajar o vivir, y yo tampoco necesito hacerlo.

Déjame alegrarme porque, después de conocer a alguien, de inmediato olvidé el color de sus ojos, información que igualmente no es imprescindible para mi bienestar. Déjame regocijarme porque no recuerdo cada uno de los rostros que veo en la calle, cada una de las palabras en la página de un diccionario, cada uno de los nombres en una habitación atestada de gente.

Es cierto, a menudo meto la pata, cosa que Holmes nunca hace. Recuerdo lo que no necesito recordar y olvido lo que no quiero olvidar, lo que hace, supongo, que mi mente también sea en cierta medida una pila de basura. Debo trabajar en ello. Pero mientras lo hago, déjame recordar que debo alegrarme porque *puedo* olvidar.

Una bendición, a fin de cuentas.

CAPÍTULO CUATRO

Él recuerda, ella recuerda
EL GÉNERO Y LA MEMORIA

HACE POCO, EN UNA MAÑANA DE OCIO DOMINICAL, enfrascada en un crucigrama, le pregunté a mi esposo:

—¿Por casualidad recuerdas el nombre de ese famoso receptor de los *Forty Niners*, de nueve letras?

—*Por supuesto* —dijo, aunque no siempre es así de veloz para recordar nombres—, Jerry Rice.

Por supuesto, dijo el hombre. Pero da la casualidad de que yo no recuerdo quién era el famoso receptor de los *Forty Niners*. Pero sí recuerdo el traje que llevaba puesto en el baile de graduación. Era de tul negro. El talle era en satín fucsia y tenía un cuello que dejaba los hombros descubiertos y las mangas eran...

Pero basta. El punto que quiero señalar, mientras atravieso en puntillas este campo minado, es que hay muchas mujeres que sienten una loca pasión por el fútbol americano y una indiferencia total por la ropa, pero aquí estamos hablando de *promedios* (como cuando se dice que *en promedio*, las mujeres no son tan altas como los hombres),[4] y estas mujeres no pertenecen al pro-

---

4 Un perla sobre *promedios* que puede reservar para uno de esos momentos en los que la conversación decae (o en los que uno olvida lo que estaba a punto

medio. Yo soy promedio. Las mangas eran cortas y en globo, con lacitos negros.

Este es el tipo de cosas que solían ser llamadas, sobre una amplia base de evidencias no científicas, pruebas de la "naturaleza femenina" y de la "naturaleza masculina". La teoría de la naturaleza no ha sido popular en las últimas décadas, sobre todo desde el renacimiento del movimiento feminista que considera que la idea de las diferencias de sexo innatas, salvo las diferencias anatómicas básicas, no son en lo absoluto políticamente correctas. Pero la ciencia le gana a la política y la tecnología de la escanografía cerebral —PET (tomografía por emisión de positrones) y el FMRI (imagen por resonancia magnética funcional)— que les permite a los investigadores *ver* realmente la mente trabajando, le ha dado nuevos bríos a la vieja controversia naturaleza-cultura.

En los últimos años, una gran cantidad de pruebas psicológicas muestran diferencias específicas de género en relación con la memoria. Lo que no muestran es la causa. Entre las diferencias están:

Los hombres tienen mejor memoria espacial y capacidad de orientación, mientras que las mujeres tienen mejor memoria visual. Esto quiere decir que, cuando se está negociando cómo llegar de aquí hasta allá, los hombres se basan más en las señales de orientación y las mujeres se basan más en los puntos de referencia.

A las mujeres por lo general les va mejor con lo que los psicólogos denominan *memoria episódica*, como por ejemplo: "¿Cuándo fue la última vez que vimos a los Jones?". Tal parece que conservamos esta ventaja hasta una edad muy avanzada, pero para ese entonces la pregunta podría muy bien ser: "¿Cuándo fue la última vez que vimos a los Comosellame?".

de decir): Por cada mujer que mide cinco pies y diez pulgadas (1,78 m) hay treinta hombres; por cada mujer que mide seis pies (1,83 m) hay dos mil hombres.

Las mujeres tienen mejor memoria como testigos oculares, por ejemplo para informar los detalles de accidentes o crímenes violentos. Puede que en la literatura la mayoría de los grandes detectives privados sean hombres, pero en la vida real las mujeres, en promedio, son más Sherlock holmesianas que los hombres.

Las mujeres tienen mejor memoria para los acontecimientos autobiográficos. Entre la población infantil, las niñas también recuerdan mejor los acontecimientos autobiográficos que los niños.

Las mujeres tienen mejor memoria para las experiencias relacionadas con la gente. Un estudio sugiere que incluso a los pocos meses de edad la mayoría de las bebés puede recordar a las personas que conocen y distinguir sus fotografías entre las fotografías de personas extrañas. Los bebés en general no son capaces de hacerlo.

Las mujeres tienen mejor memoria para las experiencias relacionadas con los sentimientos, tanto positivos como negativos. Los recordamos de manera mucho más detallada que los hombres. Algunos hallazgos incluso indican que somos mejores para recordar nombres, aunque conmigo nunca lograrían probar esto.

Aquí es donde surge la controversia naturaleza-cultura: ¿Por qué deberían existir estas diferencias de género?

Podría, por supuesto, deberse por entero a las conductas estereotipadas aprendidas. El que la memoria verbal y la memoria emocional sean más débiles en los hombres, podría deberse a que ellos se les exhorta a expresar menos y a ser más reservados. El que sean mejores para recordar cómo orientarse en el recorrido de una ruta, podría deberse a que en nuestra cultura se supone que eso es lo que los hombres deben hacer, tal como se supone que las mujeres son mejores para recordar experiencias interpersonales.

O puede ser que, de hecho, el condicionamiento cultural afecte la forma como funciona el cerebro y que un cerebro aprenda a recordar con más eficiencia las cosas que se espera debe recordar.

O puede ser una combinación de factores culturales y biológicos.

Siempre me he inclinado por la escuela de la cultura: las diferencias de sexo se deben básicamente a la ingeniería social que comienza desde el primer día en la sala de maternidad del hospital, cuando se asignan brazaletes de identificación rosados y azules. Si mi marido recuerda su primer auto (como lo hace, deteniéndose con cariño en cada detalle) y yo recuerdo mi primer beso (como lo hago, en CinemaScope), es porque en nuestra cultura estas son las cosas que se espera que recuerden los hombres y las mujeres.

Eso es lo que siempre he creído, y nunca he visto pruebas de lo contrario. Por ello me llamó mucho la atención un artículo que apareció en la sección de opiniones editoriales de *The New York Times* hace un par de años, argumentando a favor de la naturaleza. Lo escribió el Dr. Simon Baron-Cohen, eminente psiquiatra y psicólogo, director del Centro de Investigación sobre el Autismo de la Universidad de Cambridge en Inglaterra.

En ese tiempo en otro Cambridge, en Massachusetts, ardía una guerra. En caso de que en esos días usted hubiera estado flotando en una capa de hielo en la Antártica y por lo tanto no se hubiera enterado del asunto, los hechos fueron los siguientes:

El entonces presidente de Harvard, Lawrence H. Summers, sugirió en un discurso que las mujeres, de forma innata, podían ser menos aptas que los hombres para sobresalir en matemáticas y ciencias. ¡Ay Dios! Por Harvard corrió lava. Gran parte del cuerpo docente y muchas más personas querían que Summers fuera arrastrado y descuartizado, embreado y emplumado o por lo menos, despedido. Resistió seis meses esta amenazante tormenta y después renunció. (La indignación persistió y algunos creen que esto quizá no estuvo *necesariamente* desligado del nombramiento en 2007 de Drew Gilpin Faust como la primera mujer presidente de Harvard en sus 371 años de historia. "Harvard esperó mucho tiempo, desde 1636", dijo eufórica, una profesora.)

El Dr. Baron-Cohen comenzó el ensayo preguntando si al presidente de Harvard se le había hecho una crítica inmerecida; y lo continuó dando la respuesta definitiva: sí y no.

Sí, dijo, las pruebas para evaluar las diferencias entre los sexos, pueden mostrar la superioridad masculina en las ciencias. Pero las pruebas solo reflejan promedios; no nos pueden decir nada acerca de los individuos. "Esto significa que si usted es mujer, no hay ninguna evidencia que sugiera que no pueda convertirse en un premio Nobel en el área de investigación científica que elija. Un buen científico es un buen científico, independientemente del género".

Después de plantear bien esta salvedad, cosa que el ex presidente Summers hubiera deseado haber hecho, el Dr. Baron-Cohen prosiguió hacia el gran *Sin embargo*:

Sin embargo, muchas pruebas psicológicas sí demuestran que, *en promedio* (una frase sagrada en esta área de investigación), a los hombres les va mejor en matemáticas, mecánica, física, es decir, en la comprensión de sistemas. (Él define un sistema como un proceso gobernado por sus propias reglas: *si* a Y se le hace X, *entonces* se obtiene Z. La música, la navegación, la ingeniería, la programación de computadores: todas son sistemas.) A las mujeres, en promedio, les va mejor con el lenguaje, las comunicaciones, las relaciones sociales, la percepción emocional, es decir, en la comprensión de personas.

¿El condicionamiento desempeña un papel en todo esto? Por supuesto, dice él, pero hay diferencias que se manifiestan desde una edad tan temprana, que la biología también debe desempeñar un papel. Se devuelve hasta la época *antes* del nacimiento, a un proceso que empieza *in utero,* con el flujo de la hormona testosterona.

La testosterona es producida por ambos sexos, pero muchísimo más por los hombres, y tiene relación con el desarrollo del cerebro. El Dr. Baron-Cohen cree que esta hormona es la que determina si uno acaba con una inclinación más fuerte hacia la comprensión de sistemas o hacia la comprensión de personas. Mientras más alto sea el nivel de testosterona en el feto, mayor es la probabilidad de que el niño desarrolle lo que él llama un tipo de cerebro *que sistematiza.* Un nivel demasiado alto puede producir un "cerebro masculino extremo" caracterizado por la clase de interés obsesivo en alguna actividad sistemática, a menudo asociado con el autismo.

Que sistematiza: me llamaron la atención estas palabras.

Pensé en la obra de ficción del escritor argentino Borges, Funes, una suerte de *idiota genio* atrapado en su propia memoria perfecta.

Pensé en S., el paciente del psicólogo ruso Luria, con su asombrosa memoria.

Pensé en esos magos de la memoria que se presentan en los escenarios. Quizá haya habido una que otra mujer, pero en su mayoría han sido hombres y todos han utilizado sistemas elaborados para memorizar.

Pensé: ¿no es cierto que sistematizar favorece a la memoria? ¿No están las ayudas mnemotécnicas (del griego *mimneskesthai*: "recordar") basadas en sistemas? ¡Las ayudas mnemotécnicas, de hecho, *son* sistemas! ¿Es posible que esto signifique que los hombres puedan estar más predispuestos de manera innata a diferentes tipos de memoria que las mujeres?

Con este pensamiento en mente, empaqué mis preguntas en una valija y me fui a entrevistar al Dr. Baron-Cohen.

Nos encontramos en su oficina, en una de esas edificaciones venerables de la Universidad de Cambridge en las que las escaleras crujen y los pasamanos de madera brillan con la pátina de siglos.

El Dr. Baron-Cohen tiene una voz suave, una actitud gentil y aborda el tema de las diferencias de género con mucha cautela. La mayoría de los investigadores lo hacen debido a que es un tema muy delicado, pero en ocasiones llega a ser muy divertido.

Por ejemplo, en un debate en Harvard entre los psicólogos Steven Pinker (naturaleza) y Elizabeth Spelke (cultura), el Dr. Pinker dijo: "Se dice que hay un término técnico para referirse a la gente que cree que los niños y niñas no se distinguen unos de otros al nacer y que su carácter se moldea por la socialización con los padres. El término es: *infecundo*". ¡Pum!

(Pocos investigadores, sin embargo, estarían dispuestos a exponerse —de un modo tan audaz, o tan indignante, dirían otros— en la defensa de la posición de la naturaleza, como la Dra. Anne Moir. Ella y David Jessel son los autores del libro *El sexo en el cerebro: la verdadera diferencia entre hombres y mujeres*, en el que escribe: "Los sexos son diferentes porque sus cerebros son diferentes. El cerebro… está construido de manera diferente en los hombres y en las mujeres; procesa la información de un modo distinto y esto da como resultado percepciones, prioridades y comportamientos diferentes —ella afirma que los hallazgos que le darían soporte a este punto de vista son tan políticamente incorrectos, que han sido "archivados discretamente"—. Pero por lo general es mejor actuar con base en la verdad, que afirmar, con la mejor voluntad del mundo, que lo que es verdad no tiene derecho a serlo". ¡Nada de insensateces políticamente correctas para la Dra. Moir!)

Le pregunté al Dr. Baron-Cohen por esas diferencias de sexo que ha encontrado en edades tan tempranas que parecen ser biológicas. Dijo: "Es difícil descartar el entorno a menos que uno pueda hacer pruebas al nacer o relacionarlo con factores prenatales, pero sí se observan diferencias en etapas muy tempranas del desarrollo".

Mencionó una prueba en la que el equipo de investigación filmó bebés de un año jugando en el piso. Cuando se les daba la opción de mirar una película, una de un rostro, la otra de autos (aquí vamos de nuevo con los autos), los niños miraban durante más tiempo los autos; las niñas, el rostro.

Bueno, bebés de un año, esto no me impresionaba. Es mucho el condicionamiento que puede hacerse durante ese primer año de vida.

Pero en la prueba siguiente que describió el Dr. Baron-Cohen, se filmaron más de cien bebés mientras se les mostraban dos imágenes: el rostro de una persona y un móvil mecánico del mismo tamaño, forma y color del rostro. Las niñas miraban más el rostro, los niños el móvil.

"¿Y esta prueba también fue hecha al año?", pregunté.

"No —me contestó, pues lo había escuchado mal—. En el primer *día* de vida".

Los investigadores de su equipo han sometido a prueba a niños cuyo nivel prenatal de testosterona podía ser medido en el líquido amniótico congelado de sus madres. Al año, aquellos que tenían los niveles prenatales más bajos de la hormona, casi siempre niñas, mostraban mayor contacto visual, mayores habilidades para comunicarse y por lo general eran más sociables. Aquellos con los niveles más altos, mostraban más interés por las cosas mecánicas.

Al hacerles un estudio de seguimiento a estos niños a la edad de cuatro años, se observó que los primeros hallazgos permanecían. Los niños con los niveles más bajos de testosterona seguían siendo más avanzados en habilidades lingüísticas y sociales. Los que tenían niveles más altos eran menos avanzados en el aspecto social y más limitados en sus intereses.

"Cuando obtuvimos estos resultados —escribe el Dr. Baron-Cohen en su libro *The Essential Difference: Male and Female Brains and the Truth About Autism (La diferencia esencial: el cerebro masculino y femenino y la verdad sobre el autismo)*—, tuve una de esas sensaciones extrañas, como un escalofrío que me recorrió la espalda. Unas cuantas gotas más de esta pequeña sustancia química pueden afectar la sociabilidad o la destreza de lenguaje de uno. Me pareció extraordinario".

Mi pregunta entonces fue: "¿Esta 'pequeña sustancia química' podría también producir diferencias de género en la memoria?".

No era una pregunta que el Dr. Baron-Cohen hubiera analizado y al parecer nadie más lo ha hecho a fondo. Pero sin duda, las diferencias que surgen en los análisis son la *clase* de diferencias que encajan con la teoría de la testosterona sobre el tipo masculino de cerebro más atraído hacia las cosas y el tipo femenino de cerebro más atraído hacia la gente.

Le pregunté si las personas que tienen un "cerebro masculino extremo", el tipo de cerebro asociado con el autismo, tienden a tener una memoria por encima del promedio.

"Sí. Es obvio que hay diferentes tipos de memoria. Los estudios sugieren que es posible que las personas con autismo tengan una mejor memoria para los datos. También es posible que no tengan una memoria tan buena para las experiencias.

Hicimos un estudio con algunos adolescentes talentosos en el área de las matemáticas, ganadores de un concurso llamado las Olimpiadas Matemáticas del Reino Unido, y tuvimos la oportunidad de hacer un análisis de rasgos autistas en el grupo. Obtuvieron un puntaje por encima del promedio".

"¿Cómo se dividieron con respecto al género?", pregunté.

"La mayoría era hombres".

"¿En forma leve? ¿Había un predominio?".

"En forma abrumadora".

Decir que las personas autistas tienen una mejor memoria para los datos no es lo mismo que decir que los *hombres* también la tengan; pero los hombres autistas superan en número a las mujeres autistas, diez a uno.

¿Por qué ocurren estas cosas?

Supongamos, por el momento, que la naturaleza desempeña un papel, quizá cortesía de esa "pequeña sustancia química". Supongamos que las diferencias de sexo son por lo menos en parte innatas, que el hombre promedio es sólo simplemente mejor por naturaleza en el campo de las cosas y que la mujer promedio es mejor en el campo de las personas. Si uno le apuesta a Darwin, como lo hago yo, tiene que preguntarse: ¿en términos evolutivos, en los que en última instancia el quid del asunto es la supervivencia, a qué propósito pueden obedecer este tipo de diferencias?

Las teorías evolucionistas son bastante difíciles de probar o de refutar, pero a menudo son tan lógicas que parecen estar por encima de cualquier duda razonable. Imagínese, por ejemplo, a nuestros antepasados aventurándose afuera para cazar y rastrear. Es indudable que para ellos hubiera sido vital entender la mecánica de las cosas.

"Cuando uno habla de la Edad de Piedra —dice el Dr. Baron-Cohen— por ejemplo, sobre cómo hacer un pedernal, si uno pudiera captar en forma rápida de qué manera las pequeñas diferencias en el ángulo de este podrían transformarlo en una herramienta más eficiente, eso podría traer algún beneficio evolutivo.

Igual que hubiera sido vital para los individuos que se quedaban en el lugar de residencia, a cargo de los niños y dependiendo de la comunidad para el sustento, estar en buena sintonía con la gente.

En términos evolutivos, los dos sexos vivían en mundos muy diferentes. El punto en el que estamos hoy puede reflejar las presiones evolutivas sobre los sexos en ese entonces".

Consideremos esa diferencia en la memoria entre los dos sexos, que ya está muy bien documentada: mejor memoria espacial para los hombres, mejor memoria visual para las mujeres.

En términos evolutivos tiene muchísimo sentido. Cuando el hombre de la Edad de Piedra se dirigía a casa con el sustento, una buena memoria para orientarse era mucho más útil que una buena memoria para los puntos de referencia. Cuando pienso en un punto de referencia pienso en la estación de gasolina frente al supermercado, en la primera señal de "pare" después del semáforo, en la sala de cine en el extremo oriental del centro comercial. No eran muchos los puntos de referencia inconfundibles en el vasto e indiferenciado panorama de las llanuras o selvas prehistóricas.

¡Pero hoy en día! Lo que me atrae de esta diferencia particular entre los sexos es su aplicación en la actualidad. *Por fin* encuentro la respuesta a lo que siempre me ha parecido uno de los grandes misterios de la vida: ¿por qué tantos altercados maritales ocurren en el auto?

Usted conoce el guión. Está grabado en la tapicería del auto familiar y de los autos de un sinnúmero de personas que entrevisté, y siempre parece desarrollarse así:

ÉL: *Sé* que vamos en la dirección correcta. Vamos derecho hacia el norte.

ELLA: *Sé* que debemos devolvernos. Pasamos por esta iglesia hace diez minutos.

Por lo general la situación va empeorando, la sigue un silencio y luego la llegada al lugar de destino con mucho retraso.

Por fin (por lo menos), entiendo. El defecto no está en nosotros sino (posiblemente) en nuestra testosterona, o en la falta de la misma.

Es bueno entender esto. También es bueno tener en cuenta que una forma de recordar cómo llegar de aquí a allá no *necesariamente* es mejor que la otra. Simplemente son dos formas distintas de ver el panorama, la externa y la interna.

P.D. Considero que es un deber y un placer informar que el mismo día de mi entrevista con el Dr. Bacon-Cohen, justo después de que terminamos, ocurrió esto: abordé el tren que va de regreso a Londres desde Cambridge, comencé a leer el periódico de Londres y ¿qué me encontré? Oh, sí. Una gran noticia sobre el concurso nacional de acertijos matemáticos, el Campeonato Nacional *Times* de Sudoku. Cito:

"Nina Pell, 18 años, estudiante universitaria de Gales, resolvió con facilidad un acertijo complicadísimo, dejando a los hombres rezagados detrás de ella. Incluso en el momento de la gran final, cuando los 255 participantes se habían reducido a seis, las mujeres superaron dos a uno a los hombres, y obtuvieron el primer, segundo y cuarto puesto, derribando la creencia popular de que los hombres son mejores en matemáticas que las mujeres".

Ya es suficiente de promedios.

CAPÍTULO CINCO

Bailo tan rápido como puedo
El ejercicio y la memoria

Vivo con un hombre que se va a la cama feliz y se levanta irascible. Se hace el desayuno, lava los platos, se sumerge en el periódico. No se puede decir que su actitud invite a la conversación.

Una hora después del desayuno va al gimnasio. Se queda allí cuarenta minutos y cuando regresa, ¡qué maravilla decirlo!, está feliz de nuevo.

Es el ejercicio, afirma él. El ejercicio le despierta el cerebro.

Le despierta el cerebro. ¿Puede entrar en detalles al respecto?

Sí: "Cuando me levanto en las mañanas estoy aturdido. No puedo pensar con claridad. Estoy embobado, estoy tarado; lo único que puedo hacer es sentarme callado a leer. Mi cuerpo está despierto, pero mi mente todavía está dormida. Y después, *después*, voy al gimnasio y hago mis veinte minutos en la banda caminadora y hago mis pesas y de repente, ¡todo se aclara de nuevo! ¡Puedo pensar! ¡Mi cerebro se despierta!".

Cuenta que les ha oído decir lo mismo a otras personas que hacen ejercicio con regularidad: el cerebro se les despierta. *Regularidad,* esa es la palabra operativa. Este hombre va al gimnasio cada día de por medio. Igual que nada, ni la lluvia, ni la nieve, ni la pereza de una mañana dominical, ni la congestión de un

79

resfriado podía desviar al cartero de la ruta de repartos que tenía asignada, nada puede evitar que mi marido vaya a hacer su esfuerzo al gimnasio día de por medio.

¿Yo? Yo tomo determinaciones, soy muy buena para eso. Tengo propósitos de Año Nuevo para cada día del año. En este asunto en particular, decido que haré ejercicio mañana. No podría ser más conveniente, ya que vivimos en un edificio de apartamentos que tiene un gimnasio muy bien dotado en el sótano. Pero cuando llega el día de mañana, por lo general hay razones de peso para hacer otras cosas, así que pospongo el ejercicio para pasado mañana. A no ser que surjan otras razones de peso, como es lo habitual.

O, así había sido siempre, hasta que descubrí ciertos datos sobre el ejercicio y la memoria que fueron una novedad para mí y tal vez lo sean para usted también.

Regresemos un instante al cuarteto sagrado de imperativos que los expertos en memoria tanto recomiendan: una dieta saludable, descansar bien de noche, evitar el estrés y hacer ejercicio, tanto físico como mental, con regularidad.

En cuanto a la dieta y el descanso, ¿hay alguien en el mundo que no conozca la eficacia de una dieta con alto contenido de proteínas y baja en grasas y la eficacia del sueño profundo? No necesitamos pormenorizar más.

En cuanto al factor del estrés, buena suerte. Me gustaría poder ayudarle con ese, pero ya tengo suficientes problemas con mi propio factor de estrés como para preocuparme por el de alguien más.

Pero con respecto al ejercicio, las investigaciones —el tipo de investigaciones que era imposible hacer hasta hace *muy pocos* años— nos han entregado algunas sorpresas.

La primera sorpresa: el ejercicio mental no *necesariamente* produce los resultados esperados.

Tal como el ejercicio físico nutre el cuerpo, el ejercicio mental nutre la mente. Nadie discute esto. Pero un estudio bien documentado, a largo plazo, llamado ACTIVE, en el que casi tres mil adultos fueron entrenados para aguzar la memoria, la habilidad para razonar y para acelerar la asimilación de nueva información presentó una variedad de resultados.

Los investigadores encontraron que ejercitar la memoria de hecho sí mejoró la memoria, pero no pudo reducir la velocidad de la pérdida normal de esta. Además, la mejoría fue selectiva. Las personas que se ejercitaron en tareas tales como recordar listas de palabras y recordar los puntos principales de un relato, sí mostraron una memoria mejor, pero para realizar esta clase de tareas. Sin embargo, la mejoría no parecía extenderse a la conducta de la vida cotidiana. En otras palabras, uno puede hacer crucigramas hasta ver cuadrículas en los sueños, descubrir muchas palabras nuevas y elegantes (y a lo mejor hasta recordarlas), pero puede que este ejercicio no sea de mucha ayuda en el momento en que tenga que recordar dónde estacionó el carro.

Esto no me hará desistir de hacer crucigramas. Primero, porque me gusta; y segundo, porque el año entrante a lo mejor los investigadores dicen otra cosa. En las ciencias de la salud pasa esto con mucha frecuencia. Piense en los giros que ha habido con respecto a la mamografía anual, la terapia de reemplazo hormonal y las drogas antiinflamatorias. El año entrante, pueden descubrir que el ejercicio mental no hace mayor cosa por la memoria pero tiene otra aplicación benéfica. (Como lo que ocurrió con la droga L-dopa que fue desarrollada para tratar la enfermedad de Parkinson, pero producía el efecto concomitante, por completo imprevisto, de dispararle el apetito sexual a algunos de los individuos afectados. No sé si esta fue considerada una aplicación benéfica, y por lo pronto no pienso preguntar.)

O pueden simplemente descubrir que estaban equivocados, que el ejercicio mental es lo mejor que uno puede hacer por la memoria.

De hecho, Yaakov Stern, el neuropsicólogo del Centro Médico de la Universidad de Columbia, cree que esta todavía es una pregunta abierta. Mientras otros investigadores han realizado pruebas en adultos mayores para ver si ejercitar la mente les mejora la memoria, el Profesor Stern diseña programas para gente más joven, para probar si el ejercicio cognitivo puede postergar, o incluso prevenir, la pérdida de memoria relacionada con la edad. El mercado está saturado ahora con programas de ejercicios cognitivos, que prometen grandes beneficios, pero que generan pocos resultados duraderos, como lo expongo en el Capítulo diecisiete. Pero el Dr. Stern cree que puede ser que los investigadores simplemente no hayan inventado todavía la clase correcta de ejercicios cognitivos.

La segunda sorpresa: el ejercicio físico tampoco produce necesariamente los resultados esperados, excepto cuando lo hace; y en estos casos, funciona de maravilla. Todo depende del tipo de ejercicio que uno haga.

Siempre hemos entendido en forma vaga e intuitiva que el ejercicio físico es "bueno" para uno, sea lo que sea que esto signifique. Apenas en los años noventa se asumió que esto significaba que traía beneficios generales para la salud global.

Además de esto, la gente que practica ejercicio ha aprendido, por experiencia propia, lo que los científicos han descubierto a través de pruebas: que eso "bueno" también incluye el estímulo que el ejercicio regular parece darle al cerebro. ¿Cómo ocurre? ¿Por qué ocurre? Las personas que practican ejercicio no lo saben. Solo saben que ocurre.

De hecho, incluso los investigadores no sabían mucho hasta que se desarrolló la tecnología de la escanografía cerebral que permite ver no solo la estructura del cerebro, sino también las partes específicas de la estructura que se activan con los diferentes tipos de estimulación.

Hoy en día la tomografía cerebral ha pasado a engrosar el vasto arsenal médico sin que nosotros, los que conocemos sobre la materia, hayamos hecho mucho alboroto, ni nos hayamos dado mucha cuenta. Tal parece que los médicos tampoco hacen ya mucho alboroto; después de todo, ellos viven en contacto permanente con la tecnología. Pero esta extraordinaria tecnología fue la que abrió todo el campo revelador y sorprendente de la neurociencia humana, un campo cuyo desarrollo se disparó en la década de los noventa.

La neurociencia en sí tiene casi cien años. Pero hasta la aparición de la tomografía cerebral se limitaba más que todo a investigaciones en animales experimentales, por la obvia razón de que es imposible ver lo que ocurre dentro del cerebro vivo y activo de un ser humano, sin salirse del margen de lo legal. La llegada de la tecnología de la tomografía cerebral ha sido y sigue siendo, a pesar de los descubrimientos trascendentales que surgen todo el tiempo y que seguirán surgiendo, una verdadera revolución. Apostaría a que las generaciones futuras verán en retrospectiva esta tecnología como el mayor avance en el conocimiento del comportamiento humano desde que la teoría del inconsciente fue formulada por Freud. Vaya, lástima que no estaré allí para recoger mi dinero.

Esto es lo que los estudios basados en escanografías cerebrales nos han enseñado, y que antes hubiera sido imposible conocer, acerca del efecto de las diferentes clases de ejercicio físico sobre el conocimiento:

El estiramiento y la tonificación son buenos. Nadie puede decir lo contrario. Me siento muchas horas cada día con la nariz pegada a la pantalla del computador y mi pobre espalda artrítica no tarda en dar alaridos de protesta. Si me levanto y hago cinco minutos solo de ejercicios de estiramiento esto le sienta de maravilla a mi espalda, pero no hace nada por mi cerebro. Uno puede estirar y tonificar los músculos todo el día, esto por supuesto le traerá toda una gama de beneficios a usted, a sus músculos, sus huesos, su flexibilidad y equilibrio, su bienestar físico general y quizá, al menos temporalmente, a su nivel de estrés. Pero no existe ninguna evidencia de que haga algo sensacional a favor de sus funciones cognitivas.

El ejercicio aeróbico sí.

La primera vez que escuché esto me dejó en un estado de perplejidad semejante, digamos, al que siempre me ha producido la aspirina: ¿Cómo *sabe* la aspirina a qué parte del cuerpo tiene que ir para calmar el dolor? Y lo mismo con el ejercicio aeróbico: ¿Cómo puede un tipo determinado de ejercicio, y no otro, tener un efecto sobre mi cerebro? ¿Cómo *sabe* mi cerebro que debe responder a ese tipo de ejercicio y *solo* a ese?

Le formulé la pregunta obvia al Dr. Stern: "¿Se debe a que el ejercicio aeróbico le manda más oxígeno al cerebro, no es cierto?".

Desde el punto de vista de un periodista, el Dr. Stern es una joya. Es amigable con el usuario, lo que quiero decir es que él puede hacer lo que los científicos y académicos a menudo son incapaces de hacer: traducir el lenguaje incomprensible de su profesión a lenguaje humano, en beneficio de todos nosotros.

"Más oxígeno, sí, esa es una idea —dijo—. Pero lo más importante ocurre a nivel químico. Se han realizado estudios controlados de adultos mayores normales a quienes se les asignaron ejercicios aeróbicos, ejercicios de estiramiento y ejercicios de tonificación; el ejercicio aeróbico produjo beneficios enormes en el funcionamiento cerebral. Hay un compuesto químico llamado BDNF —factor neurotrófico derivado del cerebro, por si necesita saber—, que parece ayudar en varios de los procesos que participan en el aprendizaje de algo nuevo. El descubrimiento fue que: ¡el ejercicio aeróbico genera más de esta sustancia química!".

Y después, voy al gimnasio y hago mis veinte minutos en la banda caminadora y hago mis pesas y de repente, ¡todo se aclara de nuevo! ¡Puedo pensar! ¡Mi cerebro se despierta.

"La química es la que hace que las neuronas funcionen bien —dice Stern—. La forma en que las neuronas hablan entre sí, en que desarrollan nuevas conexiones... todo esto son sustancias químicas y proteínas". En este punto me explicó, de un modo que hasta yo fui capaz de entender, cómo *hablan* entre sí las neuronas:

"La neurona es una célula cerebral especializada que tiene dos partes. Una parte recibe la información y la otra parte le envía la información a otra neurona. Es una especie de proceso de cableado sofisticado. Un cableado muy complicado. La transmisión de la información de una parte de la neurona a la otra es eléctrica. Pero la transmisión *entre* neuronas, la forma en que una neurona le habla a otra, es química. La neurona libera una sustancia química, un neurotransmisor, en una sinapsis —este es el espacio entre neuronas— y esa sustancia estimula a la neurona siguiente. Cuando esa neurona alcanza el nivel indicado de estímulo, genera una pequeña carga eléctrica que viaja. Puede imaginarse muchas, muchas neuronas que convergen en una, poniendo en acción a un neurotransmisor, y en un punto dado esto hace que la neurona transmita un impulso".

"Parecido a un orgasmo", dije.

El profesor evaluó mi pequeña contribución científica. Se rió: "Sí, es como eso —dijo—, un orgasmo cognitivo".

Hay cien millardos de neuronas trabajando allí dentro, transmitiendo impulsos. No sé cómo fue posible que alguien las contara. Lo que *sí* sé es que esto es considerado un cálculo conservador, algunos investigadores creen que hay doscientos millardos o más. Hay *billones* (algunos dicen *cientos* de billones, pero cuando uno llega a la estratosfera, ¿cuál es la diferencia?) de sinapsis. Y están en acción permanentemente: redes de neuronas y de sinapsis se forman y desaparecen, se forman y desaparecen, y mientras más fuertes sean estas redes, mientras más vigorosa sea esta incesante actividad química y eléctrica, más saludable será el cerebro.

Envejecemos y la formación continúa, pero la desaparición puede comenzar a aventajarla. Queda claro que cualquier cosa que eleve la acción le traerá beneficios a la memoria.

La tercera sorpresa: el ejercicio aeróbico no solo mejora la "memoria", no se trata de algo tan impreciso. Se pone en camino como una paloma mensajera, como mi misteriosa aspirina, para mejorar *exactamente* los tipos de memoria que empiezan a darnos problemas en la edad madura como, por ejemplo, esa inalcanzable capacidad para realizar varias tareas a la vez.

Realizar múltiples tareas a la vez es una función que le corresponde a los lóbulos frontales del cerebro. Como dije antes, estos se cuentan entre las primeras áreas del cerebro en ser afectadas por el envejecimiento, razón por la cual realizar varias tareas a la vez, se vuelve difícil. También, como ya lo he dicho, a lo largo de nuestras vidas algunas células cerebrales mueren y otras nuevas se generan, pero con la edad la generación se hace más lenta, y en algunas partes del cerebro, como los lóbulos frontales, parece que llegan a detenerse.

"Solía haber una gran controversia sobre la generación de nuevas células —dijo el Dr. Stern—. ¿Sucedía solo en una parte del cerebro o también en otras partes? Parece ser que solo ocurre en el hipocampo, que juega un papel tan importante en la memoria".

Algunos estudios sugieren que esto también pasa en el bulbo olfatorio, la parte del cerebro encargada de la identificación de los olores.

"Bueno —digo—, si no se están generando células nuevas en los lóbulos frontales, ¿cómo hace el ejercicio aeróbico para mejorar mi capacidad para realizar varias tareas a la vez?".

"Se mejora gracias a la sustancia química BDNF que el ejercicio aeróbico produce. Esta mantiene la supervivencia de las células que ya existen allí".

Los investigadores solían creer que los problemas de memoria se originaban por cambios en determinadas áreas del cerebro, por la pérdida de neuronas que el envejecimiento normal ocasiona. Pero el énfasis se ha desplazado. Ahora hacen un énfasis mayor en los cambios en la comunicación *entre* las áreas del cerebro. No es solo el número de neuronas lo que importa, sino el número y la fuerza de las conexiones entre ellas. (De hecho, la pérdida de neuronas ya no se considera tan importante. Podemos perder muchos millones diariamente; nada del otro mundo, si se considera la cantidad que hay allí). Con el envejecimiento normal, comienzan a descender el número y la potencia de las conexiones sinápticas; y la teoría es que el ejercicio aeróbico les inyecta a estas, por así decirlo, un estímulo químico.

El efecto del ejercicio aeróbico en el desempeño mental ha sido demostrado en muchos experimentos con animales (principalmente ratas, a lo mejor usted ni querrá saber esto, pero déle una oportunidad. Así puede enterarse de que cuando a las ratas se les permite correr en ruedas que se instalan en sus jaulas, hasta agotar sus corazoncitos, después son capaces de realizar tareas cognitivas mejor y más rápido que otras ratas que están por ahí reposando; saber esto no deja de ser interesante y no deja de tener una moraleja para nosotros, los humanoides). Pero el trabajo que marcó un gran avance con personas como nosotros, ha estado a cargo del Dr. Arthur F. Kramer, profesor de neurociencia y psicología de la Universidad de Illinois en Urbana-Champaign, y de sus colegas.

El equipo del Dr. Kramer ha tomado grupos de voluntarios que se encuentran en edades entre la madurez y la vejez, todos en buen estado de salud, todos con vidas moderadamente sedentarias y los han puesto en un programa de entrenamiento de ejercicios de seis meses de duración. A algunos participantes se les asignaron ejercicios aeróbicos, principalmente caminar, y a otros participantes se les asignaron ejercicios para tonificar.

"¿Alguna sorpresa?", le pregunté a Kramer.

"Sí, los resultados —dijo, de manera directa y concisa—. Encontramos que si uno estaba en el grupo de los caminantes podía desempeñar ciertas tareas cognitivas entre un quince a un veinte por ciento más rápido que si estaba en el grupo que tonificaba. Ese hallazgo de veras nos sorprendió".

¡Quince a veinte por ciento! ¿Ellos solo se sorprendieron? Yo quedé *estupefacta*.

"¿La gente tenía que caminar rápido para alcanzar ese resultado?", pregunté.

"No, solo caminar. Empezaron despacio, caminando quince minutos diarios y se fueron preparando hasta llegar a una hora tres veces por semana".

Los estudios de Kramer fueron los primeros en medir el mejoramiento en el desempeño de tareas específicas, que se denominan, en el ramo, *procesos de control ejecutivo*. Tales tareas son funciones de esa área del lóbulo frontal del cerebro en donde primero se presenta el envejecimiento. Además de la función de realizar múltiples tareas a la vez, en esta área están incluidos la planeación, la programación, el poner atención y el bloquear las distracciones. (Según algunas investigaciones, las distracciones son un problema incluso más grave que la falta de atención.)

Los procesos de control ejecutivo también incluyen algo llamado *stopping (parada)* o, en el argot de la psicología, suspender respuestas planeadas con antelación. Pedí un ejemplo y Kramer dijo: "Si está conduciendo y se dispone a hacer un giro a la izquierda y de repente ve a un peatón en su camino…".

Entendido.

Antes de iniciar el programa de entrenamiento de ejercicio, los sujetos fueron sometidos a pruebas para medir su desempeño en estas tareas. Cuando terminó el programa y fueron examinados de nuevo, los caminantes estaban muy por encima de los que hicieron tonificación, prueba ambulante de que cuando nuestro mecanismo biológico aminora el paso, nosotros mismos podemos hacer mucha parte del trabajo.

Piense en ello: quince a veinte por ciento de mejoría en la ejecución de múltiples tareas a la vez, en la planeación y la programación, en poner atención al asunto que está en consideración, en bloquear las distracciones y en cancelar ese peligroso giro a la izquierda.

Ah, y otra cosa más: "Encontramos, en un análisis de la literatura científica —dijo Kramer—, *que la combinación de aeróbicos y levantamiento de pesas tenía incluso mayores beneficios a nivel cognitivo*" (la bastardilla es mía).

Bueno, ya se lo podrá imaginar. Desde que lo supe, aquí estoy tres veces por semana, dándole a la banda caminadora, levantando pesas y bailando (aunque, como lo dijo Kramer, no es *necesario* ir rápido) tan rápido como puedo.

Que no es darle menos de lo debido al ejercicio mental. Porque haga o no haga algo por la memoria, se siente muy bien cuando funciona.

Justo a punto de dormirme hace unas pocas noches, de repente pensé en tres amigos con los que tenía que hablar en la mañana: Ina, Molly y Toby. Iba a prender la luz para escribir una nota. Luego me dije a mí misma: *No, maldita sea, recuérdalo. Bueno, ¿Pero cómo? De la manera más obvia, con las iniciales. ¿I-M-T? Nada. ¿T-I-M? No, otro nombre más para olvidar. M-I-, espera… Espera.*

¡M-I-T! ¡Mi hermano estudió en MIT! ¡Esa sería mi asociación! (Y la asociación, recuerde, es el quid del asunto.)

A la mañana siguiente allí estaba: M–I–T. Hice las tres llamadas. Me hizo sentir más fuerte, más segura, más ágil. Me hizo sentir *bien* mientras levantaba mis ocho libras y corría (bueno, caminaba rápido) mi milla en veinte minutos.

CAPÍTULO SEIS

Una reflexión sobre el elefante
LAS COSAS QUE NUNCA OLVIDAMOS

PREGÚNTELE A UNA DOCENA DE PERSONAS, yo se lo he preguntado a varias docenas: "¿Cuáles son las experiencias personales que nunca olvidará?". Las respuesta son las que uno espera oír: la muerte de mi madre, el nacimiento de mi hija, el día de mi matrimonio, el día en que me divorcié, el día en que la casa se incendió, el día en que me enteré de que ese bastardo (o bien, esa perra) me estaba engañando… Las cosas habituales.

Pero insista, quítele unas capas más de piel a la cebolla del recuerdo y finalmente encontrará algo. Ese algo será un recuerdo de infancia que incluso hoy en día, treinta, cuarenta, sesenta años después del acontecimiento, todavía hace arder el alma de esa persona. Lo que puede dejarlo asombrado es que este recuerdo inolvidable *a usted* le parezca tan poco memorable, tan mundano e incluso trivial, que no puede imaginarse por qué se quedó pegado de la psique de un modo tan fuerte. El caso es que tenemos suficientes problemas tratando de comprender nuestra propia psique como para preocuparnos por la de los demás.

¿Por qué algunos recuerdos se adhieren con tanta obstinación?

Sí, sí, entendemos: mientras más emotiva haya sido la experiencia, más persistente será el recuerdo. Esa parte la captamos de manera intuitiva. ¿Pero, *por qué*? ¿Qué es lo que está pasando a nivel biológico?

A ese nivel, es pura química.

Acomodada confortablemente en la curva del hipocampo, se encuentra la amígdala, esa pequeña planta eléctrica de forma almendrada, mediadora de emociones, "el computador emocional del cerebro" como la llama Daniel L. Schacter, psicólogo de Harvard. La amígdala, por ejemplo, emite una señal de miedo y las hormonas relacionadas con el estrés entran en acción. El pulso se acelera, las extremidades tiemblan, la temperatura corporal cambia, el pecho se siente pesado con una especie de desazón premonitoria, y se experimenta una ráfaga repentina de *algo* en la garganta.

Es la adrenalina que fluye. Mientras más grande sea el miedo, más adrenalina fluye, y mientras más adrenalina fluya, más profundamente grabado quedará el recuerdo. No lo podrá sacar de allí, ni siquiera con una palanca.

Los traumas de la infancia están grabados muy muy hondo en esa maraña de tejidos y cables en donde reside la memoria a largo plazo. Allí también están grabadas las alegrías. Pero tal parece que lo que tiene mayor poder de permanencia es cualquier clase de herida en los sentimientos: un insulto, un rechazo, una rivalidad, una vergüenza, incluso una de poca gravedad.

Veamos el rencor entre hermanos.

Un renombrado psicoanalista me habló alguna vez de un paciente que se quejaba porque sus padres preferían a su hermano mayor. Se mantenía lamentándose y lloriqueando por su hermano. Un día, como evidencia, llevó una foto instantánea de él y de su hermano tomada cuando tenían cuatro y seis años respectivamente, ambos tenían canastas de Pascua. "¡Ahí está, lo ve! —dijo con voz triunfante—. ¡Mire que la canasta de él es mucho más grande que la mía!"

El paciente tenía treinta y cinco años.

Este es el caso de un hombre de sesenta y un años, refiriéndose a su hermano gemelo:

> Teníamos siete u ocho años. Estábamos jugando brusco y él se tropezó contra una de esas cosas para poner adornitos y rompió un jarrón de cristal. Se fue gritando hasta donde estaba mamá: "¡Danny te quebró el jarrón!". Yo dije: "¡No lo hice!". Pero ella no me creyó porque la semana anterior yo *había* roto algo y ella me había dado todo un sermón sobre el descuido. Cuando mi papá regresó a casa, mamá le dijo: "Danny rompió un jarrón", y me dieron una paliza. Quería matar a mi hermano. Quería matar a mi papá y a mi mamá también. Todavía puedo sentir el terrible sabor de la *injusticia*. Durante mucho tiempo tuve estas grandes fantasías homicidas.

Veamos la impotencia. Una amiga (como estas historias en su mayoría son incómodas, sus protagonistas prefirieron que sus nombres fueran omitidos) recuerda:

> Tenía cinco años. Estaba al frente de la casa jugando a los disfraces con el bolso y los guantes de mi madre. Dos niños más grandes me quitaron el bolso y comenzaron a lanzárselo entre ellos por encima de mi cabeza, como si fuera una pelota. Yo corría de aquí para allá, de aquí para allá, en mi afán de agarrarlo, y ellos se reían y decían "lero, lero", y empecé a llorar.

Al recordar esto, cinco décadas después, a ella se le llenan los ojos de lágrimas. "Oh, Dios, la rabia que sentí. *Rabia impotente.* Toda mi vida ese ha sido el sentimiento que simplemente me es imposible manejar, el sentimiento que me saca por completo de casillas, la rabia impotente. Y siempre he tenido la plena convicción de que se debe a lo que sucedió ese día".

Veamos la vergüenza:

Yo tenía ocho años. Vi a tres mujeres más grandes, creo que de quince o dieciséis años, bailando el *swing* al otro lado de la calle. Traté de imitarlas. Hice unos pocos pasitos. Luego miré y vi que ellas habían dejado de bailar y que me señalaban dobladas de risa. Corrí a casa, pensé que moriría de vergüenza. Todavía puedo escuchar sus risas, las muy cabroncitas.

Esta mujer tiene sesenta y ocho años. Me contó la historia y luego me mandó un correo electrónico describiendo las cabroncitas que había visto hace sesenta años.

Veamos el orgullo herido:

Esta fue la única vez que me dieron una paliza. Tenía cinco años, estábamos cenando y yo, por alguna razón, estaba de malhumor. Derramé azúcar en el suelo deliberadamente. Mi padre la limpió y me dijo que si lo hacía de nuevo me daría unas nalgadas. Entonces lo hice de nuevo y él me puso sobre sus rodillas y me dio unas nalgadas, no muy fuertes *pero delante de mis hermanos*.

Dije: "¡Me marcho!", corrí a mi habitación, busqué mi suéter favorito que era morado, y mi muñeca preferida, los envolví en una especie de morral y salí de prisa. Llegué hasta la esquina y me detuve a analizar mis opciones. Era octubre y ya estaba oscureciendo. Recuerdo que pensé: "Pronto oscurecerá del todo y tengo hambre". Así que regresé.

Años más tarde mi madre me contó que ellos me vigilaron todo el tiempo desde la ventana. Les contaron a todos sus amigos. Muy gracioso.

Louise, que tiene cincuenta y tres años, todavía no le encuentra la gracia.

Veamos una hoja de mi propio libro y por favor contenga la risa:

Estoy en segundo grado. La Srta. Palm, a quien todos adoramos, trajo un tazón de hojas de otoño de colores vivos. Cada uno de nosotros tiene el placer, el goce inestimable, de elegir la hoja que quiera. Luego la pegaremos en una hoja de papel.

La Srta. Palm pone un poco de pegamento en cada hoja de papel. El pegamento se me acaba pronto. Levanto la mano para pedir más. De nuevo se me acaba y tengo que levantar la mano otra vez.

"¡Martha! —me dice—. ¿Cuál es el problema? A todos los demás les alcanzó el pegamento".

¡Oh vergüenza! Entonces veo cuál es el problema. Todos los demás están poniendo goticas de pega en la hoja, una gotica aquí y otra allá, mientras que yo estoy tratando de cubrir toda la superficie. Las niñas se están riendo.

"Dime —repite la Srta. Palm—, ¿cuál es el problema?".

¿Decírselo? No puedo hablar. No puedo respirar. Quiero morirme y con seguridad lo haré, de estupidez.

Fin de la historia. ¿Cuál es la suya?

El dolor físico también se queda aferrado a la memoria, pero de un modo diferente. Mi hermano puede recordar el dolor que sintió cuando, hace más de medio siglo, algún bravucón del vecindario lo golpeó y por poco le quiebra el brazo. Pero tiene un recuerdo mucho más vívido de la sensación de vergüenza que sintió porque esto ocurrió frente a otros chicos y porque mamá tuvo que salir a defenderlo.

El dolor físico sólo se recuerda; el dolor emocional se puede volver a experimentar por completo, una diferencia curiosa que analizaré en el capítulo nueve.

"La fecha es el 17 de junio de 1959, tengo doce años. La Novocaína no me hizo efecto como debía, así que me sostienen contra la silla y me extraen dos dientes —mi amiga no me cuenta esto así simplemente, ella se traslada a ese momento y me lleva con ella—. Se suponía que me sacarían cuatro piezas, los molares de los doce años, pero solo pudieron sacarme dos porque me desmayé".

"¿Y tu mamá no los detuvo?", pregunto, aterrada.

"Ella no estaba conmigo. La niñera me había dejado. Yo estaba allí, sola".

"¿Y después? ¿Cuando le contaste?".

"Nunca se lo dije. Nunca se lo dije a nadie. Durante treinta años fui incapaz de hablar acerca de esto, fue un hecho tan devastador emocionalmente".

Los recuerdos no tienen que ser dolorosos para quedarse tan pegados. El neurólogo de la Universidad de Cornell, Norman Relkin, dice: "Algunos pacientes a veces preguntan: '¿Por qué no puedo recordar qué almorcé, pero sí puedo recordar la fiesta que me hicieron cuando cumplí los diez años?'. Bueno, algunas de las tareas de la memoria son de por sí más difíciles que otras. Y la gente que no está segura de si está sufriendo o no un trastorno de la memoria, a menudo no logra diferenciar entre estas cosas. No logran recordar algo y se preocupan. Pero parte del reto es reconocer que no todos los tipos de recuerdos llegan con la misma facilidad. Los hechos que ocurren de manera repetida, de forma estereotipada como los almuerzos, son muy difíciles de recordar. La primera cosa que el cerebro hace es ponerlos en la categoría de almuerzos y uno tiene miles de ellos o decenas de miles".

Pero hubo solo una fiesta de cumpleaños a los diez años.

El inconsciente es un closet atiborrado. Nunca llegamos ni siquiera a estar cerca de tener plena conciencia de lo que hay allí dentro bajo el rótulo *Cosas que nunca olvidaré*.

¿Por qué habría de despertar de un sueño diciendo en voz alta "324-3074", el número telefónico de mi madre que no he vuelto a marcar (¿recuerdan cuando *marcaban con el dial*?) en más de dos décadas?

Si alguien me hubiera preguntado: "¿Cuál es el número telefónico de tu madre?", le hubiera respondido: "¿Por qué diablos debo recordar algo así? Mi madre murió hace veinticuatro años". Pero ahí estaba, vivo y pulsando, en mi inconsciente.

¿Por qué habría de entrar mi esposo a la cocina una mañana con los ojos todavía llenos de lagañas, y decirme, a propósito de nada: "19204376"? Su número de serie del Cuerpo aéreo del ejército, en 1946.

"¿Qué te hizo pensar en eso?", le pregunté.

"No lo sé".

"¿Estabas soñando?".

"No lo sé".

"¿Lo hubieras recordado si te lo hubiera preguntado?".

"De ningún modo".

Los psicólogos hablan de la *memoria de almacenamiento profundo*. Cuando llega a tal profundidad, uno bien podría llamarla de congelamiento profundo. Pero puede aflorar y derretirse en cuestión de segundos.

Estas experiencias personales que recordamos con tanta insistencia a menudo son experiencias que de buena gana olvidaríamos. Pero ahí está la ironía: este es precisamente el tipo de memoria que permanece en gran parte inalterada por el envejecimiento. A uno se le puede estar olvidando el nombre del repartidor de periódicos, dónde dejó los lentes, qué diligencias tenía que hacer en la mañana y quién le dijo qué anoche, pero entre tanto el tiempo no ha hecho nada para ayudarle a olvidar la vergüenza que sintió cuando se mojó los pantalones en el primer año de primaria.

Una amiga cuenta que su madre nunca superó esa experiencia, precisamente. Le pasó cuando tenía seis años y a los setenta todavía la atormentaba:

> Su propia madre, mi abuela, no creía en la educación pública. Quería enseñarles a sus hijos en casa, pero las autoridades de la ciudad la obligaron a enviarlos a la escuela pública. El primer día, mi madre levantó la mano para ir al baño y la profesora le dijo: "Acabamos de tener un recreo. No puedes ir ahora".
>
> Así que ella se mojó en los pantalones, mi abuela tuvo que ir a recogerla y ese fue el final de su educación en una escuela pública. Contaba esto hasta el final de sus días, pero no como una historia cómica. Todavía era doloroso para ella.

"La memoria de uno está informada por los sentimientos —dice Gayatri Devi, neuróloga y psiquiatra de Nueva York—. Los sentimientos son tan importantes para la memoria como… bueno, ¡la memoria misma! En mi opinión, si se representaran gráficamente los datos y los sentimientos, ambos contribuirían en proporciones iguales a lo que se guarda en el cerebro".

Pregúntele a un actor profesional, entrevisté una buena cantidad de ellos, cuál ha sido la causa de los recuerdos más humillantes de su vida, y la respuesta es casi siempre esta: la *memoria*; el que ésta les haya fallado.

Bueno, por supuesto. ¿Cómo podría no serlo?

Si usted y yo estamos hablando y a usted se le olvida lo que estaba a punto de decir, ¿qué importa? En un instante se le ocurre cualquier otro pensamiento. Pero si usted está paralizado en el escenario, bajo unas luces que tienen el brillo suficiente para captar cualquier asomo de miedo en sus ojos; expuesto a unas fauces negras llenas de cientos de clientes que pagaron una buena suma de dinero (y si es en Broadway, una suma obscena) por verlo actuar; si usted, en estas circunstancias olvida su parlamento… Ay, Dios. Ni siquiera quiero imaginar cómo debe ser esto.

Le dicen *perderse*. Es el miedo que hace parte del oficio.

"Es como si uno *muriera*. Una vez en un espectáculo… —esta es Priscilla López, de cincuenta y ocho años. Si tuvieron la suerte de ver la producción original de *A Chorus Line* en los años setenta entonces vieron a Priscilla López; ella ha trabajado sin cesar desde entonces—. Estaba cantando mi canción principal. Y de repente olvidé la parte que seguía. Pensé: '¿Qué pasa? Oh, Dios, me corría el sudor por todo el rostro, ¿qué sigue?'. Era como si me hubiera salido de mi cuerpo, y me viera a mí misma parada allí. Fue terrible…".

Mientras cuenta esto, Priscilla recrea la escena con entusiasmo, se para petrificada, levanta las manos en actitud de pánico a lado y lado de una cabeza en donde la amígdala se está enloqueciendo y millones y millones de neuronas disparan como si fueran fuegos artificiales sobre Kansas City, un cuatro de julio por la noche. Oh, *es* terrible.

"Y de golpe me detuve. Me quedé allí parada y dije: 'No soy capaz. No soy capaz. No soy capaz'. Y salí del escenario. Llevaba solo un minuto de una canción de cuatro minutos, y salí del escenario. ¡Eso sencillamente no se *hace*!

Tras bambalinas se armó un lío tremendo. Todo el mundo se movía de prisa presa del pánico porque esto tiene un efecto sobre todo lo demás: las entradas de la música, de las luces, de los actores, todo. Esto es una máquina que funciona en un orden determinado y yo hice que todos los trabajos se atascaran. Oh, Dios. Ese es mi peor recuerdo".

★ ★ ★

222222222222222222

"Las mujeres y los elefantes nunca olvidan una ofensa". Estas son palabras sarcásticas del escritor Héctor Hugo Munro (también conocido como Saki).

Y aquí hay otra, obviamente en la misma onda sentimental, tomada del *Don Juan* de Lord Byron: "La venganza es dulce, sobre todo para las mujeres".

No sé cómo llegaron los elefantes a ser parte del acto (aunque es cierto que se cree que tienen memorias muy buenas), pero olviden la parte sobre las mujeres.

Sí, existen diferencias con respecto a la memoria entre ambos sexos. Pero esta no es una de ellas. Ambos sexos son bastante buenos para atesorar ofensas. Incluso tal vez, la balanza parece inclinarse hacia el otro lado: un estudio reciente sugiere que cuando se trata de albergar un rencor, o de disfrutar la venganza, los hombres tienen una memoria más aguda que las mujeres.

El estudio fue realizado en el Departamento de Imaginología de Neurociencia de la Universidad de Londres. Los investigadores organizaron a treinta y dos sujetos en parejas y los pusieron a participar en un juego. Si los dos compañeros jugaban con una actitud de cooperación, ambos ganaban. Pero había unos cuantos intrusos en el grupo, actores a quienes se les había dicho que jugaran con una actitud egoísta. Al poco tiempo todo el mundo los odiaba. Luego a los sujetos se les hizo una tomografía cerebral mientras observaban cuando varios jugadores recibían una descarga eléctrica leve.

Cuando un jugador que cooperaba recibía la descarga, todos los sujetos lo compadecían: las áreas de empatía del cerebro se iluminaban.

Cuando un jugador egoísta recibía la descarga, todos los cerebros masculinos registraban placer. ¡Venganza!

¿Y las mujeres? Las áreas de empatía de ellas seguían brillando como luciérnagas.

★ ★ ★

Las personas que trabajan en las artes, es decir, actores, escritores, artistas, todos aquellos cuyo trabajo es analizado por la crítica profesional, tienen una memoria excepcionalmente buena para las reseñas malas. Conozco muchos casos. Mucho tiempo después del hecho, pueden recordar cada uno de los adjetivos poco halagadores que se hayan escrito sobre ellos. (¿Que si me incluyo a mí misma? ¡Por supuesto!)

Una vez estaba caminando por el distrito teatral de Manhattan con un crítico de teatro amigo mío, cuando un actor muy conocido venía caminando a zancadas hacia nosotros. Mi amigo lo saludó de manera muy cordial. El actor pasó de largo con sus zancadas, ignorándolo por completo.

"¿Y eso a qué se debió?", pregunté.

Él me dijo: "Hace veinte años reseñé una obra teatral en la que él actuaba y elogié su actuación, salvo por un solo adjetivo negativo. Nunca me perdonó ese adjetivo".

Hace poco vi una cinta en la que los actores Paul Newman y Robert Redford hablaban en televisión sobre el principio de su carrera. Fue presentada poco antes de que Newman anunciara su retiro, a los ochenta y dos años. Declaró que ni su confianza, ni su habilidad para inventar, ni su memoria, eran ya lo suficientemente agudas como para permitirle trabajar al nivel que él se exigía a sí mismo. Esto me entristeció, porque Newman, incluso por debajo del nivel que se exige a sí mismo, es muchísimo mejor que la mayoría.

Pero me divirtió y me conmovió, oír al muchacho de oro, Redford, una estrella aclamada por la crítica durante tantos años, recordando las palabras exactas que un crítico de uno de los grandes periódicos escribió acerca de una de sus primeras actuaciones: "Dijo que yo era *sobreactuado y recargado*".

Esto sucedió hace muchas décadas. Redford lo recordó entre risas, pero con tristeza, se detuvo en esos adjetivos, y en su voz todavía persistían trazas del orgullo herido.

★   ★   ★

Cuando uno le formula la pregunta ¿Cuál es la experiencia personal que nunca olvidará? a una cantidad suficiente de personas, surge un patrón. He descubierto que para cualquier persona que haya pasado por eso, hay un recuerdo que ocupa el primer lugar en la lista de las cosas inolvidables: haber sido testigo de la escena primaria.

¡Los detalles! ¡La vivacidad! Tecnicolor, pantalla panorámica. Sonido Dolby. Las personas que por casualidad vieron a sus padres haciendo el amor tienden a recordarlo por muchísimos años con precisión fotográfica.

Relato esto sin quitarle nada, tal como me fue referido, porque la fuente es una mujer de setenta y ocho años, que tenía ocho cuando esto pasó; y la gran riqueza de detalles es un buen ejemplo del efecto que tienen las emociones sobre la memoria:

Mis padres me llevaron a Nueva York a la Feria Mundial de 1939. Nos alojamos en un hotel de mala muerte que tenía dos habitaciones pequeñas contiguas: una con una cama doble y la otra con un sofá-cama. Como tenía miedo de quedarme sola en este lugar extraño, mi mamá se acostó conmigo en el sofá-cama.

Me desperté a media noche y ella no estaba a mi lado. Supe lo que estaba ocurriendo. Escuché un chirrido fuerte y sabía que era la cama. Es decir, yo no sabía lo que estaban *haciendo*. No sabía aún lo que era el sexo, hoy en día los niños de ocho años lo saben, pero yo no sabía nada. Lo que sí sabía, era que mi madre me había abandonado y que estaba allí en la cama con mi padre; estaba enojada con ambos.

Así que entré en la otra habitación. Podía verlo todo; entraba mucha luz de la calle. Un aviso grande de neón justo fuera de la ventana parpadeaba continuamente. La cama seguía chirriando y vi aquel enorme culo que rebotaba *arriba* y abajo, *arriba* y abajo como si siguiera el compás de los chirridos de la cama y el parpadeo de la luz. No tenía idea de lo que esto significaba. Pero estaba furiosa y dije con voz fuerte y enojada: "¡Sabía que estabas aquí!".

Bueno, la cabeza de mi madre se levantó de la almohada y se quedó mirándome, y mi pobre papi giró la cabeza *rápidamente*: nunca olvidaré la expresión de pánico en su rostro. Estaba paralizado, se quedó mirándome fijamente con una expresión de horror. Después, como que se le quitó de encima a mamá y se cubrió; yo regresé al sofá-cama y me quedé allí en un verdadero ataque de furia.

Al rato, mamá entró y comenzó a decirme que esto era algo que la gente casada hacía porque se amaba y que cuando fuera mayor lo entendería y todo eso... ¡Pero, yo no escuchaba razones! Giré el rostro hacia la pared sin pronunciar palabra. Estuvimos allí durante dos días más y no le dije una sola palabra a mi padre ni él a mí. Estaba tan avergonzado que era incapaz de mirarme.

Nunca hablamos de esto, excepto una vez, muchísimos años después cuando yo ya estaba casada. ¿Y sabe qué? Mi papá todavía se puso rojo como un tomate. Dijo: "Oh, eras tan pequeña. En realidad no recuerdas nada".

Respondí: "¿Conque no? La cama chirriaba. Había una luz que parpadeaba afuera. Solo tenías puesta la blusa de la pijama, y esta tenía rayas azules y blancas".

Memoria, habla.

CAPÍTULO SIETE

No es salsa de tomate

Las 57 variedades de memoria[5]

JOE: Comimos en un restaurante magnífico la semana pasada.

CHARLIE: ¿Si? ¿Cómo se llama?

JOE: No puedo recordar. Es como... suena como... ¿Cómo se llama esa flor, la roja, que tiene espinas?

CHARLIE: ¿Rosa?

JOE: ¡Eso es! Oye, Rosa (gritando tras bambalinas), ¿cómo se llama el restaurante en el que comimos anoche?

PARECE QUE JOE FUERA MEDIO ESTÚPIDO y el chiste es viejísimo, pero aun así me encanta. Me encanta por la forma como toma dos clases diferentes de memoria y las combina para generar risas.

Como lo señala Yaakov Stern, neuropsicólogo de la Universidad de Columbia, los psicólogos nunca hablan de la memoria a secas. Hablan de diferentes tipos de memoria, y en estos diferentes tipos participan diferentes partes del cerebro, tal como

---

5 N.T.: El número 57 aparecía junto al nombre de una conocida marca de salsa de tomate, fue elegido por la compañía para recordarle al público que tenían cincuenta y siete variedades de productos enlatados y embotellados disponibles en el mercado. La autora se vale de esta alusión para hablar de la variedad de memorias que hay.

vimos antes con los efectos del ejercicio aeróbico sobre los lóbulos frontales. Pero esto no está organizado de uno a uno. La
memoria está por todo el cerebro y cuando uno está guardando
o recuperando un tipo específico de recuerdo, muchas partes
del cerebro participan en ello.

Esto se vuelve demasiado complejo, pero la mayor parte de
esto, y me alegra decirlo, no es necesario saberlo. No nos servirá
para recordar. La memoria, con sus muchas variedades, se convierte más bien en una especie de árbol genealógico; de hecho,
así la representan de manera gráfica los expertos: con ramas que
salen del tronco y ramitas que salen de las ramas y palitos que
salen de las ramitas y así sucesivamente. Mi objetivo es tratar de
podar el bendito árbol y despejar el matorral que lo rodea para
poder apreciar la forma que tiene y captar la idea básica, porque
cuando uno capta la idea básica, tiene más control. Uno no se
pone sudoroso cuando se le olvida el nombre del restaurante en
donde comió la semana pasada porque sabe que es un olvido
común y sabe por qué. (Si se le olvida el nombre del cónyuge,
es otro asunto muy diferente. Ni siquiera haré el intento de
aproximarme a ese asunto.)

Para empezar, déjeme decirle que el envejecimiento no afecta
de igual manera a todas las clases de memoria. Algunas casi no
se ven afectadas. La que se llama memoria episódica, que será
descrita dentro de poco, es la más vulnerable al envejecimiento.
La que se denomina *memoria de trabajo*, que también será descrita
pronto, es limitada para todo el mundo, sin importar la edad.

Los especialistas discuten acerca de la distribución exacta de
las cosas en este árbol de la memoria. Sin embargo, la mayoría
está de acuerdo en que el árbol tiene tres ramas principales o
sistemas de memoria: *memoria declarativa* (o *explícita*), memoria
de trabajo y *memoria no-declarativa* (o *implícita*).

La memoria declarativa es la memoria que de manera consciente incorporamos y de manera consciente sacamos. O *trata-*

mos de sacar, como cuando "lo tengo en la punta de la lengua". Datos, rostros, palabras, acontecimientos, experiencias personales e impersonales… Casi todo lo que sabemos sobre el mundo y sobre nosotros mismos pertenece al sistema de la memoria declarativa.

De esta rama declarativa del árbol salen dos ramas secundarias importantes: la memoria semántica y la memoria episódica.

La memoria semántica abarca datos, esencialmente:

El Edificio Empire State está en la ciudad de Nueva York.
El viernes sigue después del jueves.
Un poodle es una raza de perros.
Un restaurante es un lugar en el que uno va a comer.

La memoria episódica abarca todo lo que haga parte de nuestra experiencia personal:

Hicimos un recorrido por el Edificio Empire State.
¡Gracias a Dios es viernes!
Mi perra es (por desgracia, era, la dulce criaturita) una poodle standard negra llamada Gwendolyn.
Comimos en un restaurante magnífico la semana pasada.

Lo que nos trae a la memoria el chiste de Rosa. Cuando Joe no puede recordar el nombre del restaurante en el que estuvo la semana pasada, se trata de un lapsus de la memoria semántica y Joe no debe preocuparse por ello, solo debe unirse a la multitud. Todos estamos en el mismo barco.

Cuando Joe no puede recordar el nombre de su esposa con quien ha estado casado treinta años, se trata de un lapsus de la memoria semántica, y Joe sí debe preocuparse por ello, al igual que Rosa. Porque la mayoría de los nombres, inclusive el nombre de gente que uno apenas conoce; de individuos que uno acaba de conocer; de personas que uno rara vez ve o en las que piensa poco, en resumen, los nombres de las personas no muy cercanas a uno, por lo general pertenecen a la memoria episódica. Pero el nombre de quien ha sido nuestro cónyuge durante mucho tiempo, al igual que el nombre de nuestros padres, hermanos, hijos, personas cuyo nombre conocemos tan bien como el nuestro, deben estar grabados en concreto en la memoria semántica.

Así que o Joe tiene un grave problema de memoria, o Joe y Rosa tienen un grave problema de pareja, o ambos.

La memoria semántica es muy fuerte. Incluso en la vejez avanzada permanece allí. Mientras que la memoria episódica es la pícara desgraciada que comienza a jugar a las escondidas con nosotros, casi siempre alrededor de los cincuenta años, unos años más o unos menos, y algunos cientos de millones de células nerviosas menos. (No es una gran pérdida, como ya lo señalé, no cuando se calcula que el cerebro tiene entre cien y doscientos millardos de ellas.)

Para ilustrar de manera sencilla la diferencia entre estas dos formas de memoria declarativa, analice la diferencia entre "¿Qué son lentes?" y "¿Dónde dejé los lentes?".

Esto lo explica.

El conocimiento semántico, como recordar los platos que uno siempre ha tenido en la cocina, se almacena principalmente en la parte posterior del cerebro. Pero el conocimiento que supone un contexto particular, como recordar el tipo de comida que ingirió en esos platos el domingo pasado, se maneja principalmente en la parte frontal. Se llama *memoria de contexto*. Ejemplo: "Hace algunos días me encontré con ella, ¿pero dónde? ¿DÓNDE?". Y es con seguridad uno de los tipos menos confiables de memoria episódica. Para la mayoría de nosotros, esta es un demonio.

Todo esto es normal; es en esencia de lo que se trata el problema de "la punta de la lengua". Pero lo que a menudo hace que la gente como uno caiga en una crisis de preocupación es: A) no saber que esto es normal y B) que es el mismo tipo de memoria que primero se pierde en *condiciones anormales*. Así que se sientan demacrados en la sala de espera para ver al médico: *me veo una película y a los pocos días ni siquiera recuerdo el título y eso fue exactamente lo mismo que le pasó a mi tío y él tenía Alzheimer y ay, Dios, ¿también a mí me va…?*

Lo más probable es que no. Contrario a la creencia común, el Alzheimer *no* es una enfermedad tan fuertemente hereditaria como verá en el Capítulo doce, titulado ¿Entonces, cuándo *no* es normal?

De la rama declarativa de este árbol también penden la *memoria episódica personal* e *impersonal*. Quizá usted ya está diciendo: "Basta ya con ese árbol", pero resista otro momentito. Déjeme intentar expresarlo en términos que tengan una resonancia a nivel emocional:

"El político X fue hallado culpable de perjurio, conspiración y fraude": esto es memoria episódica impersonal.

"¡Vaya! Acabo de escuchar en las noticias que el jurado condenó a X": esto es memoria episódica personal, y yo también diría, "¡Vaya!".

También está la *memoria prospectiva*, que algunos psicólogos consideran como un sistema separado. En esencia, es la memoria para hechos futuros. Acordarse de tomar las pastillas, de sacar dinero del cajero automático, de asistir a la cita que tiene para almorzar, todo esto pertenece a la memoria prospectiva. Viene en dos presentaciones: basada en el tiempo (acordarse de tomar las pastillas en la mañana y en la tarde) y basada en hechos (acordarse de pagar el dinero que le debe a un amigo cuando los dos se encuentren para almorzar).

Por lo general, nos va mucho mejor con la memoria que se basa en hechos que con la que se basa en el tiempo, por un pequeño artilugio cognitivo llamado *imprimación*: ver al amigo nos recuerda que debemos pagarle el dinero.

★　★　★

En el sistema declarativo también encontramos la memoria a corto plazo y la memoria a largo plazo.

Para describir estas en términos básicos (demasiado básicos): una experiencia se transforma en un recuerdo a través de un proceso llamado *codificación*. Regresemos por el momento a esa enorme molestia de olvidar los nombres. Uno conoce a Sally y dice: "Encantado de conocerte, Sally", y uno sigue repitiendo para sus adentros, *Sally, Sally, Sally*.

¡Felicitaciones! Acaba de codificar la experiencia.

Al día siguiente, ve a Sally en la calle y no logra recordar cómo se llama. Esto se debe a que codificó el nombre solo de manera superficial. Se quedó alrededor de un minuto en la memoria a corto plazo y luego desapareció. Cambio y fuera.

Para codificarlo de un modo más profundo, se hubiera necesitado elaborarlo más, asociarlo de alguna forma con cosas ya conocidas para uno, como lo describí anteriormente. Cada memoria que se codifica crea un patrón diferente de conexiones entre las neuronas. Mientras más se elabore, más fuertes serán las conexiones y más fuerte será el recuerdo.

Los expertos siempre enfatizan que para que un recuerdo sea guardado en el almacenamiento a largo plazo debe ponerse atención, si no se le presta atención a algo es imposible que sea guardado. Se *va*. Como el poner atención, al igual que el realizar varias tareas a la vez, se nos dificulta más con el tiempo, necesitamos dedicarle más atención a poner atención.

Como se describió en el Capítulo cinco, poner atención es una de las llamadas funciones ejecutivas que el lóbulo frontal maneja y que pueden mejorar con el ejercicio aeróbico. (Una actividad a la que, de por sí, se le debe poner atención. Me encuentro aquí sentada frente al computador, en una posición bastante incómoda, porque hace una semana, por no ponerle atención a mis pies, me caí en la banda caminadora y me fracturé una costilla. Sí, es bueno ejercitar esos lóbulos frontales, pero manteniendo los ojos bien abiertos.)

La *memoria a corto* y *largo plazo* hace parte de las tantas frases que siempre he utilizado sin saber exactamente su significado. ¿Qué tan corto es el corto plazo? ¿Qué tan largo es el largo plazo?

Le llevé este interrogante al profesor Stern, él me aseguró con mucha amabilidad que no *existe* ese "exactamente" que busco. "Un minuto o dos podrían ser *corto; y largo* podrían ser días, o semanas, o años. Pero la memoria a *muy* corto plazo es un sistema algo diferente".

"Ah, ¿otra rama del árbol?".

"Sí. La llamamos memoria de trabajo. Es el lugar en donde se registran las cosas por primera vez. Es una especie de libreta de apuntes, como cuando uno se aferra a un número telefónico hasta que puede hacer la llamada, esa es la libreta de apuntes".

El escurridizo número telefónico es el ejemplo preferido de los especialistas en memoria para describir la memoria de trabajo. Lo que me trae a la mente un dato interesante que tal vez le agradará saber, tanto como me agradó a mí: Simon Baron-Cohen, especialista en autismo de la Universidad de Cambridge, me dijo que, en promedio, una persona puede recordar a la vez un máximo de siete dígitos, por eso los números telefónicos tienen siete dígitos.

"El asunto con la memoria de trabajo —dice el profesor Stern—, es que cualquier cosa que ingrese en ella tiene que ser conservada, o desaparece. Si uno la conserva durante el tiempo suficiente, será guardada en la memoria declarativa. Y después, cuando uno la saca del almacenamiento, regresa a la libreta de apuntes. Ese es el lugar en el que uno utiliza la información y la manipula. Es parecido a lo que ocurre con el computador. Los documentos están guardados en el disco duro, pero cuando uno desea trabajar en uno de ellos, lo tiene que recuperar del disco duro y ponerlo en la memoria de trabajo del aparato".

"¿Por qué se consideran la memoria de trabajo y la memoria declarativa dos sistemas separados?".

"Porque no dependen de las mismas áreas del cerebro. En realidad todos los sistemas trabajan juntos, pero la memoria de trabajo depende sobre todo de áreas cerebrales diferentes a las de la memoria a largo plazo".

Llegamos ahora a la tercera rama del árbol que se llama memoria no–declarativa, o memoria implícita. Esta es la clase de memoria que usamos sin tener la más mínima consciencia de que la estamos usando.

Los recuerdos sensoriales: son los recuerdos de un sonido, una imagen o un olor particular (y demás), pueden ser conscientes o inconscientes, dependiendo de qué tan familiares nos resulten.

Por ejemplo: si usted siente debilidad por el bistec a la parrilla y pasa cerca de un asador al aire libre donde están preparando uno, es casi seguro que no va a olfatear el aire para descifrar qué será ese olor. Usted lo reconoce sin tener consciencia de ello.

Pero si pasa al lado de alguien que se perfumó con Chanel No. 5, fragancia que olió solo una vez hace muchísimo tiempo, y una oleada de este llega al centro olfativo de su cerebro, es más probable que esto suscite una respuesta completamente consciente: *¿dónde olí esto antes? ¿Cuándo? ¿Quién lo llevaba puesto?*

En cambio, la verdadera memoria implícita siempre es inconsciente. Permanece con nosotros a través de cualquier forma de trastorno de la memoria, excepto cuando quedamos convertidos por completo en papilla. También se le dice *memoria de procedimiento*: prácticamente inolvidable, por entero automática, el tipo de memoria en el que nunca pensamos.

La memoria de procedimiento es lo que Sinatra nunca pensó mientras cantaba; lo que Astaire nunca pensó mientras bailaba; lo que Tiger Woods no piensa cuando hace un *swing* con su palo de golf. De hecho, si lo pensara, a lo mejor arruinaría el tiro.

La memoria de procedimiento es lo que se podría llamar, en términos no muy técnicos, la memoria del saber-hacer. Saber cómo caminar, cómo tomarse un vaso de agua, cómo atarse un zapato.

El sistema de la memoria de procedimiento se desarrolla en edades muy tempranas. Uno de los misterios de la memoria a veces es llamado amnesia infantil: ¿Por qué razón no recordamos muchas de las cosas que nos ocurrieron —recuerdos episódicos— antes de los cuatro o cinco años? Hay individuos excepcionales que tienen recuerdos claros y precisos anteriores a los cuatro años, pero la mayoría de nosotros no los tiene.

"Freud pensaba que era porque en esta etapa inicial hay trauma, este puede bloquear el recuerdo, reprimirlo en el inconsciente y todo ese rollo —me dijo Terrence Deacon, un bioantropólogo de la Universidad de California, Berkeley, cuando hablábamos de la evolución de la memoria—. Pero creo que hoy en día la mayoría de la gente pone esto en duda. En realidad hasta los cinco o siete años de edad no tenemos la totalidad de los componentes de los sistemas de la memoria. Creo que lo que ocurre antes de esta edad es que estamos construyendo mucha memoria de procedimiento, aprendiendo habilidades lingüísticas, destrezas y demás.

Estas destrezas están en pleno proceso de desarrollo y, en efecto, nuestro mecanismo biológico no quiere que se vean perturbadas por una cantidad de recuerdos episódicos, en una etapa en la que un niño no tiene por qué enfrentar dichos asuntos.

Durante la infancia, si uno es un mamífero, está bajo el cuidado de otros seres. Uno no necesita devolverse y recordar un episodio de su vida. En esta etapa todo se lo entregan a uno. El sistema episódico, por así decirlo, aún no es necesario. En realidad se requiere cuando uno empieza a funcionar de una forma más autónoma. Ya para entonces, el sistema de la memoria de procedimiento estará bien establecido".

En otras palabras, la memoria de procedimiento es la primera en llegar y la última en salir. La episódica es la última en llegar y, por desgracia, la primera en salir.

Pero piense en esto de este modo: si fuera al contrario sería mucho peor.

La memoria de procedimiento está tan profundamente arraigada que incluso puede funcionar sin depender del hipocampo, el centro cerebral de la memoria; sin embargo, los investigadores cognitivos todavía no entienden con exactitud cómo funciona esto.

No obstante, lo he visto funcionar. Conocí a una mujer que había sido un prodigio musical, una pianista brillante. A los dieciséis años daba conciertos a nivel internacional. A los diecisiete tuvo una crisis esquizofrénica severa. Permaneció internada durante los siguientes treinta años y fue sometida a choques eléctricos una y otra vez.

Cuando salió, sus familiares la acogieron; ella continuaba viviendo más o menos en su propio mundo insólito. Los choques eléctricos en el cerebro la habían dejado extrañamente insensible; y casi no recordaba lo que había sucedido el día antes de ayer. Pero al sentarla frente a un teclado, era capaz de hacer magia. Sus dedos lo recordaban todo.

La memoria de procedimiento es lo que los dedos recuerdan cuando uno se ata los cordones de los zapatos, lo que los pies recuerdan cuando uno se monta en una bicicleta. Es, como solía decir mi vieja amiga, la ya fallecida Helen Singer Kaplan, renombrada psiquiatra y terapeuta sexual, lo que el cuerpo recuerda cuando uno hace el amor.

"Esta es la última cosa en desaparecer —declaró alguna vez frente a unos espectadores sorprendidos, pero sumamente agradecidos, en la mesa de mi comedor—. Mientras uno goce de buena salud física lo puede hacer, incluso cuando ya no recuerda con quién lo está haciendo".

Memoria de procedimiento, *¡olé!*

CAPÍTULO OCHO

Amnesia, al estilo Hollywood
OLVÍDELO

HISTORIAL DE UN CASO: Trudy, una diseñadora de zapatos exitosa, enviudó a los cincuenta y siete años de una manera repentina y triste. A su esposo, con quien había estado casada treinta y tres años, le dio una obstrucción coronaria a bordo del avión en que volaba de regreso a casa, fue declarado muerto al aterrizar. Él nunca me había caído muy bien, pero de todos modos el hecho fue triste y repentino.

La gente asistió al funeral; Trudy recibió las visitas. Pasó una semana, luego dos y los hijos de Trudy comenzaron a animarla para que regresara al trabajo.

Un mes después de la muerte de su esposo, Trudy volvió a la oficina. Camino a casa, por la misma ruta de catorce millas que había transitado dos veces al día, cinco días a la semana durante veintitantos años, fue vista conduciendo a alta velocidad. Se chocó contra un poste de servicio público y se rompió el hombro, algunas costillas y sufrió varias heridas y moretones. La hospitalizaron por poco tiempo y después, de nuevo estaba en casa recibiendo visitas.

Las manifestaciones de solidaridad fueron numerosísimas. Todo el mundo quería a Trudy. Los amigos, en secreto, sacudían la cabeza y se formulaban las preguntas obvias en este caso. Se preguntaban unos a otros: ¿Cómo podía haber sido un accidente? Después de todo, ella conocía esa ruta tan bien que podría recorrerla con los ojos vendados. ¿Sería que ella, en su dolor, había tratado de matarse?

Ninguno de ellos sabía que el marido de Trudy era un abusador psicológico. Ninguno sabía que Trudy había permanecido casada por... Ah, cualquier razón que tenga la gente para permanecer en un matrimonio infeliz. Ninguno de ellos sabía que, antes de salir de viaje, él le había dicho que tenía una novia y que quería el divorcio. Su muerte, por muy lamentable que fuera, no pudo haber ocurrido en un momento más apropiado. Le ahorró a ella el dolor y la humillación de vivir en un barrio elegante en las afueras de la ciudad, como la esposa rechazada. En cambio, quedó como la viuda estoica, admirada por todos.

Algunos meses después, ella y yo hablamos sobre esto y me atreví a preguntarle si había tratado de matarse.

"¡No!".

"¿Entonces qué ocurrió?".

"No tengo la menor idea. Solo conducía sin prestar atención. Estaba diseñando un zapato".

No vaya a derramar lágrimas por Trudy. Está felizmente casada con un hombre adorable, pero ese no es el punto. Este es el punto: si uno deja de lado los detalles emocionales, todo ese drama, y sólo considera *lo que pasó*, se da cuenta de que lo que le pasó a ella es el tipo de cosas que le ha pasado a la mayoría de nosotros.

Veamos qué opina de esto:

Usted va de un lugar conocido a otro a pie, en el auto, en bicicleta, no importa en qué se desplaza. Llega. Mira alrededor un poco confundido y sorprendido a medida que cae en cuenta de que no tiene ningún recuerdo consciente ¡ninguno! de haberse desplazado del punto A al punto B. *¿Cómo llegué aquí? ¿Cuánto* *tardé en llegar? ¿Dónde estaba, qué estaba haciendo, qué estaba viendo, qué estaba pensando mientras tanto?*

¿Tal vez estaba diseñando un zapato? En cualquier caso, estaba abstraído en pensamientos, ojalá agradables. O tal vez no pensaba en nada, al menos no conscientemente, sólo iba en piloto automático porque la ruta era aburridísima y rutinaria, y, en realidad usted podría llegar hasta allí, como todo el mundo había dicho acerca de Trudy, con los ojos vendados.

Sea cual fuera la causa, usted no estaba atento. *Mi mente*, solemos decir, *divagaba*, como si la mente, a diferencia del cerebro, pudiera pararse e irse a vagar en la dirección que se le antoje. Lo que en cierto sentido, es posible.

Amigo mío, lo que uno experimenta en este tipo de momentos es una forma de amnesia. Puede pasarle, y de hecho le pasa, a cualquier persona a cualquier edad. Pero puede suceder más a menudo cuando uno se acerca a los cincuenta o a los sesenta, que cuando se acerca a los veinte años porque A) ya no es tan fácil enfocar la atención y B) simplemente porque mientras más tiempo hayamos estado siguiendo ciertas rutinas, y mientras más familiares se hayan vuelto, como la ruta a casa para Trudy, es más factible que las llevemos a cabo sin tener un recuerdo consciente de haberlas ejecutado. Llegamos a un punto en el que hacemos todo el trayecto en piloto automático.

"Esto sucede cuando uno sólo le está prestando atención al momento presente, y no está tratando de saber nada a largo plazo —dice Barry Gordon, neurólogo cognitivo de Johns Hopkins—. Supongamos que uno está yendo de Baltimore a Nueva York por la autopista de New Jersey. ¿Qué tan memorable es *esto*? —Respuesta: es una de las carreteras más aburridoras del mundo. Sin ánimo de ofender, New Jersey—. Incluso si uno no la conoce bien, no la mira. No es necesario. Uno solo apunta el auto en una dirección y sigue adelante.

Esta fue la forma exacta en que llegué a Nueva York hace un par de días. Luego caminé de la calle treinta y cinco hasta la cuarenta y dos y sería incapaz de decirle qué ruta tomé. Mi mente estaba ocupada en otras cosas".

Esto se puede llamar amnesia normal, solo que suena contradictorio. No hay nada absolutamente anormal al respecto.

Analicemos el caso de Norbert Wiener, el legendario científico del Instituto de Tecnología de Massachusetts (MIT), el prototipo del genio del sabelotodo raro, del profesor distraído.

En MIT, todavía cuentan, recuentan y vuelven a recontar, las historias de Norbert Wiener. Por ejemplo, la vez que estaba conversando con un estudiante en uno de los pasillos y luego le preguntó:

—¿Para qué lado iba yo cuando nos encontramos?

—Hacia allá —dijo el estudiante señalando hacia la cafetería.

—Ah —dijo Wiener—, entonces todavía no he almorzado.

O la vez en que su familia se mudó a una casa nueva, cerca de la vieja, y su esposa, que conocía a su Norbert, le entregó una nota con la nueva dirección. Al final del día él no se acordaba dónde había puesto la nota, ni se acordaba de la dirección, así que se fue para la casa vieja y le preguntó a una niña que jugaba en la calle:

—¿Sabes a dónde se mudaron los Wiener?

—Sí, papi —dijo ella—, mami me envió para llevarte a casa.

Es posible que sea ficticio, aunque espero que no lo sea. (Años después la hija de Wiener dijo que él siempre la había reconocido, pero que el resto era totalmente cierto.) Hay algo encantador en una enajenación tan extravagante. Nos reímos, a sabiendas de que mientras estemos cuerdos, y Wiener, por más excéntrico que pudiera parecer, lo estaba, esto nunca nos podría suceder.

Pero, de hecho, la diferencia entre la amnesia normal que muchos de nosotros hemos experimentado y la exótica enajenación de Norbert Wiener es básicamente una de grado. (Además, podemos dar por hecho sin temor a equivocarnos, que la mente de él divagaba por alturas muy superiores a las nuestras. El hombre inventó la cibernética, sea lo que sea eso.)

Los especialistas hablan de un estado *de fuga*, en el que un amnésico puede deambular tranquilamente sin saber que ha sufrido una pérdida de memoria, sin saber siquiera que ha olvidado su propio nombre. En el libro *Searching for Memory* (*La búsqueda de la memoria*), Daniel L. Schacter, distinguido psicólogo de Harvard, describe un caso en el que un soldado se traumatizó por haber peleado en la Segunda Guerra Mundial. El hombre erró en un estado de amnesia transitoria sin tener conciencia de quién era o hacia dónde iba, y más aún, sin siquiera ser *consciente* de no tener conciencia, hasta que, un mes después, recuperó todos los sentidos en un hospital a cientos de millas de distancia.

En mi opinión, la experiencia de no estar muy seguro de si algo pasó realmente encierra una especie de estado de fuga, una variación menor alrededor de este tema.

Hace poco recibí una llamada telefónica de una pariente que vive lejos, en otra ciudad:

—¿Me llamaste anoche? —preguntó.

—No —dije—. ¿Por qué preguntas?

—¿Estás segura de que no llamaste? —luego se rió—. Que pregunta tan tonta. Por supuesto que lo recordarías —una suposición algo arriesgada—. Pero fue tan real. Tuvimos una conversación larga. La recordaba con claridad cuando me levanté esta mañana, pero algo en ella me producía una sensación extraña y le pregunté a uno de mis hijos: "¿Me escuchaste hablar con Martha, anoche?". Me dijo que no, y entonces pensé: Bueno, quizá no hablé con ella. A lo mejor lo soñé.

Es probable que también usted haya tenido este tipo de confusión entre el recuerdo real y el imaginado. Esto es común.

"¿Alguna vez recordaste algo pero no estabas segura de si lo habías soñado o de si había ocurrido realmente?", le pregunté a una amiga que sabe varios idiomas y tiene una memoria extraordinaria para ello.

"*Por supuesto* —dijo—. A todo el mundo le sucede, ¿no es así?".

¿De verdad me encontré con fulano en la esquina y tuvimos esa conversación? ¿O fue un sueño? Parece tan real que no estoy segura.

Existe el recordar, y también la *sensación* de recordar, dos procesos diferentes. Algunas veces la diferencia es difusa. Es similar a lo que pasa cuando no estamos seguros de si hicimos algo o sólo pensamos en hacerlo. *¿Pagué esa cuenta, o sólo pensé en pagarla? ¿Apagué el horno, o sólo pensé en apagarlo?* Una confusión que me ha llevado a quemar más de una cena en mi vida.

Mi marido insiste en que nunca ha experimentado esa fusión entre el sueño y la realidad. (A lo mejor se le olvidó.) Pero cuando le pregunto si alguna vez ha experimentado esa otra sensación de confundir el pensamiento con la acción, dice: "¿Bromeas? ¡Me pasa todos los días! ¿Me tomé las pastillas o sólo *pensé* que me las iba a tomar?"

Las pastillas, ay, sí. Usted no creería cuánta compañía tiene en este asunto de las pastillas, incluyendo la mía. (Para mi solución y otras cosas, consulte el capítulo once.)

La amnesia normal a la que me refiero está a muchísima distancia de un caso clínico de amnesia, pero las dos tienen algo crítico en común: la memoria perdida no puede ser recuperada. No es como el bloqueo momentáneo que experimentamos en esos instantes "en la punta de la lengua". El elemento bloqueado, ese trocito de información que está jugando a las escondidas con uno por un rato, está ahí *adentro*. Uno sabe que sí está, porque es capaz de recordarlo más tarde. Pero con la amnesia no hay bloqueo. Es una ausencia, un vacío.

En la amnesia "pura", es decir, en el tipo de amnesia que es causada por daño cerebral, el recuerdo está ausente porque la región del cerebro en donde debía estar guardado, no puede funcionar. En la amnesia "normal" está ausente porque no estábamos poniendo atención. Es exactamente como lo enfatizan los investigadores y los terapeutas del área de la memoria: lo que no se graba no puede rebobinarse. Si uno no le presta atención a algo, no puede ser guardado, no quedará guardado. Quedará ausente, inexistente, desaparecido en inacción.

La amnesia pura es rara, excepto en las películas; y estas por lo general, la plasman de una manera absurda. Si lo que sabe al respecto está basado en las películas que ha visto, tiene una idea bastante colorida de ella, pero totalmente errada. ("No —dice el Dr. Gordon, refiriéndose a todas estas películas de serie B en las que alguien se golpea la cabeza, pierde la memoria, se golpea de nuevo y, ¡listo!, la recupera—, uno no se mejora con otro golpe en la cabeza. Queda igual o peor".)

Para comprender claramente las diferencias entre lo que ocurre en un caso clínico de amnesia y aquello que con tanta facilidad puede pasarle a cualquiera de nosotros, déjeme describirle brevemente la cuestión real. Viene en dos sabores: la de tipo puro, que implica daño cerebral, y la de tipo psicológico; estas se conocen en la profesión como amnesia *orgánica* y amnesia *funcional*, respectivamente (Hay un tercer sabor: la de tipo simulado de un modo consciente, que se conoce en la profesión como *fingir*. Esta es la preferida por la gente que busca escapar de realidades tan poco agradables como las deudas, los líos con la ley, o las angustias del diario vivir como pagar el surtido de cuentas pendientes, cortar el césped y cumplir con la hipoteca. Para citar de nuevo a ese astuto sabio Publilius Syrus: "A veces es conveniente olvidar quiénes somos".)

La amnesia pura puede ser ocasionada por traumas en la cabeza o por un derrame cerebral, por enfermedades como la encefalitis, o incluso, en casos muy raros, por la anestesia o el alcoholismo extremo. (En cuanto a la amnesia normal, una cantidad moderada de alcohol puede ocasionarla. Da la casualidad de que disfruto el licor, pero soy muy mala bebedora. Un martini, o dos copas de vino, son suficientes para provocar en mí una versión moderada de ese estado llamado laguna alcohólica, lo que significa que a la mañana siguiente tengo borrada mucha parte de los hechos de la noche anterior.)

La amnesia pura puede generar diferentes tipos de pérdida de la memoria, dependiendo de qué parte del cerebro ha sufrido daños y en qué grado. Las víctimas pueden perder la memoria de experiencias anteriores a la lesión (amnesia retrógrada), o a partir de la lesión (amnesia anterógrada), o una combinación de ambas. Pero casi siempre, las víctimas recuerdan quiénes son.

En cambio, esto puede ser precisamente lo que se olvida en la amnesia funcional causada por trauma psicológico. Como en la película de suspenso *Cuéntame tu vida,* el famosísimo clásico de Alfred Hitchcock protagonizado por Gregory Peck: el pobre tipo no sabe quién es y cree que cometió un asesinato (¿lo hizo? *¿Gregory Peck?* No diga tonterías); finge ser un psiquiatra y se enamora de otra psiquiatra (Ingrid Bergman); se cura, y de repente recuerda el gran "¿quién soy?"; señala al verdadero culpable, desenlace final y desvanecimiento de la imagen.

Olvídelo, amigo. Eso es casi tan cierto como uno de los otros trucos preferidos del cine, ahogarse en arena movediza.[6] El verdadero amnésico funcional por lo general es un alma perdida que vaga aturdida por las calles, casi siempre tiene aspecto de

---

6 La gente no se ahoga en la arena movediza. La gente flota en ella. Tiene algo que ver con una ley de la física. Para cuando la mitad de uno se haya hundido, el pantano se habrá solidificado y sería demasiado difícil, casi imposible, que uno se ahogara. A no ser, por supuesto, que uno haya caído de cabeza.

indigente y tal vez merodea por la estación de policía para pedir ayuda.

Ahora permítame organizar un pequeño escenario:

Suponga que X tuvo un accidente automovilístico hace diez meses y sufrió un trauma en la cabeza. Hoy pasa caminando por una farmacia cerca de su casa. Hace un año, mientras estaba en esta farmacia comprando algo, hubo un atraco. Un recuerdo espeluznante. Mientras camina, se encuentra con alguien que le habían presentado en una fiesta el día anterior.

Si X padece amnesia retrógrada, puede recordar a la mujer que conoció en la fiesta, pero no el atraco.

Si padece amnesia anterógrada, puede recordar el atraco, pero no a la mujer que conoció en la fiesta.

Si padece amnesia funcional, puede que no recuerde ni lo uno ni lo otro.

Si tiene una amnesia normal recuerda todo lo anterior e incluso puede detenerse a conversar con la mujer y contarle sobre el atraco. Pero es probable que no recuerde en qué estaba pensando mientras conducía de su casa hasta la farmacia, y es bastante factible que tampoco recuerde dónde estacionó el auto.

Y, si para rematar, no recuerda el nombre de la mujer que conoció en la fiesta, amigo: ¡ahí estamos pintados!

Para los especialistas en neurociencia, la amnesia puede ofrecer una especie de lección de anatomía de la memoria. Al examinar a los pacientes con técnicas de escanografía cerebral, ellos ven qué partes del cerebro se activan o dejan de activarse ante diversos estímulos. De este modo pueden aprender más sobre qué áreas del cerebro son esenciales en los diversos tipos de memoria. (Para su información: los investigadores dicen que las áreas del cerebro se *iluminan* cuando se activan, pero de hecho no es una manifestación tan marcada visualmente. En realidad lo que una tomografía cerebral muestra son las fluctuaciones en medidas tales como el nivel de oxígeno y el nivel sanguíneo. Cuando las redes de neuronas telegrafían información a áreas específicas del cerebro, estas reciben un mayor flujo de sangre para manejar esta actividad extra.)

El caso de un hombre conocido como H.M., les resulta muy familiar a todos los estudiosos de la memoria. En los años cincuenta, H.M. fue sometido a una cirugía en la que le extirparon casi todo el hipocampo con el fin de librarlo de las convulsiones devastadoras que padecía. La cirugía cumplió con el objetivo, el paciente dejó de convulsionar, pero en todo este proceso su memoria a corto plazo desapareció. Este caso contribuyó a que la ciencia comprendiera el papel que el hipocampo desempeña en la memoria.

En el momento en que escribo esto H.M. todavía está vivo. Si se topara con él en algún lado, podría empezar a conversar con usted de un modo absolutamente normal y a los diez minutos no tendría ni el más mínimo recuerdo de haberlo visto antes. Pero él sabe a la perfección quién es.

Encuentro un patetismo muy particular en este tipo de amnesia porque me recuerda lo que le pasó a mi difunto esposo, el Dr. Harold Lear.

Después de un infarto importante, Hal fue sometido a una cirugía de *bypass*; después de la operación, su memoria a corto plazo quedó arruinada por completo. Un año después, recuerdo con demasiada claridad esa noche, fuimos a una obra teatral en Lincoln Center en Manhattan. Cuando salimos del teatro nevaba, caían copos de nieve gruesos, afelpados, deslumbrantes. Al cruzar esta magnífica plaza, de repente él se detuvo y comenzó a sacudir la cabeza, pensé que estaba admirando la belleza de la nevada. Pero no, estaba llorando. "Oh, Martha —gimoteaba—. ¿Qué acabamos de ver? No recuerdo nada al respecto. Nada".

Aunque la falla cardíaca lo había debilitado sobremanera físicamente, la pérdida de la memoria lo afligía muchísimo más que cualquier incapacidad física. Sin embargo, nunca perdió su identidad personal. Esta, como dice el Dr. Gordon, es el conocimiento más inolvidable que tenemos. En la amnesia orgánica, uno no la pierde, salvo en caso de quedar convertido por completo en un vegetal.

Hay un factor genérico en relación con la amnesia. El científico cognitivo con el que lo discutí quiso que su nombre fuera omitido, usted no se *imagina* la confidencialidad de los científicos cognitivos para discutir factores genéricos, pero me dijo que la mayoría de las víctimas de amnesia funcional son mujeres. Esta suele dispararse por una gama bastante limitada de experiencias muy dolorosas: la muerte de un ser querido, un abandono, una violación.

Se cree que la amnesia fingida es más común en los hombres.

Tradicionalmente, una de las principales razones era escapar del matrimonio. Esto se remonta a la época en la que el cónyuge que abandonaba el hogar por lo general era el marido. A partir de la década de los setenta la situación dio un vuelco total cuando muchas más mujeres comenzaron a dar un portazo tras ellas; este cambio me llevó a preguntarle al anónimo científico cognitivo: "¿Podría tener sentido que hoy en día proporcionalmente más mujeres fingieran amnesia y más hombres la sufrieran de verdad?".

Él piensa que no. "La amnesia funcional sigue siendo más frecuente en mujeres y la amnesia de tipo sociopático más frecuente en hombres. Pero simplemente no se sabe si las causas son sociales o neurológicas".

(No es que las mujeres nunca la finjan. El Dr. Gordon me contó el caso de una mujer que se desapareció por dos años: "Cuando la encontraron alegaba que no recordaba nada sobre quién era o sobre cuándo y cómo había desaparecido de su vida anterior. Pero al rastrear el caso, se descubrió que había dejado una nota con instrucciones para alimentar al gato". Como quien dice: había gato encerrado y lo dejó escapar.)

Pero en cuanto a nosotros, usted y yo, y el tipo de amnesia que a veces nos aqueja y que probablemente nos aquejará a medida que nos hagamos más viejos, no hay ningún factor genérico de por medio. La amnesia normal le da las mismas oportunidades de empleo a todo el mundo.

Devuélvase en el tiempo para recordar la última vez que fue incapaz de reconstruir alguna de esas tareas dolorosamente conocidas que llevó a cabo en su baño matinal; o en su rutina diaria de ejercicios; o mientras cocinó patatas en la cocina; o mientras se desplazó, por ejemplo, de la oficina a la casa.

Alguien pregunta: "¿Todavía está cerrado ese carril en la autopista?".

Uno responde: "No sé".

"¿*No* sabes? Si acabas de pasar por ahí. ¿Cómo es posible que no sepas?".

"Amnesia".

Ojalá que todas nuestras dolencias sean así de benignas.

CAPÍTULO NUEVE

Contarlo como no es

LA MEMORIA Y SUS ENGAÑOS

UNO SE ASOMBRA ANTE LOS MILLARDOS de recuerdos que viven en ese órgano de tres libras (más o menos; el cerebro equivale al dos por ciento del peso corporal) que está metido en nuestro cráneo, y ante nuestra habilidad para sacar de estos millardos un solo recuerdo de algo que pasó hace un día, un año, una década: en verdad, produce asombro. A pesar de todo esto, no se puede afirmar que la memoria sea la cosa más confiable que se nos haya cruzado en el camino.

Un ejemplo claro de ello: una noche, hace poco, estaba con dos amigas, la crítica de cine Molly Haskell y la corresponsal de televisión Betty Rollin, que se conocen desde que estaban recién egresadas de la universidad.

La conversación viró, como muchas veces lo hacen las conversaciones en nuestros círculos de amistades últimamente, hacia el dolor de espalda, no recuerdo si el de Betty, el de Molly o el mío, en todo caso el dolor de espalda era el tema. Sin ningún esfuerzo, y de manera inevitable tal como se pasa de la primavera al verano, esto continuó en una discusión sobre la artritis, el colesterol, y por supuesto, los caprichos de la memoria.

—¿No es sorprendente que, de repente, siempre estemos hablando de la salud? —comenté.

—Cuando estaba creciendo solía oír a mi madre y a sus amigas hablar sin parar de sus problemas de salud, y juré que nunca sería así. Pero en ese entonces no sabía lo *divertido* que sería —dijo Molly.

—Esas palabras son mías —dijo Betty.

¿Perdón?

—"Lo *divertido* que sería". Eso fue lo que *yo* dije, hace años, al referirme a *mi* madre y sus amigas.

El asunto todavía no ha sido resuelto, y sin duda alguna, nunca se resolverá. Cada una de ellas sigue completamente convencida de que esas palabras le pertenecen.

Contar algo como no sucedió. Esto pasa todo el tiempo. Es más fácil que pase a medida que envejecemos, por razones que pronto veremos. Pero primero analicemos la atribución incorrecta *deliberada*, de la cual se ven bastantes casos en la actualidad.

La primera década del nuevo siglo ha sido rica en mentirosos y plagiadores célebres. No es que alguna vez hayan escaseado, sino que ahora contamos con esa arma de doble filo que es la Red. Esta hace que el plagio sea mucho más fácil. Los amantes de la informática pueden navegar por todos lados y robar un poquito de esto y un poquito de aquello y estampar su nombre en el trabajo de otras personas. Si los descubren, a menudo alegan que son inocentes: confundí las fuentes. Lo olvidé. No soy *yo*, amigos, es mi memoria.

Las encuestas muestran que una enorme cantidad de estudiantes universitarios lo hacen y lo defienden. ¿Podría ser, y es solo una idea, que valoren menos la verdad porque el valor de esta se ha devaluado tanto en nuestra cultura, empezando desde arriba? (Recuerdan, si pueden soportarlo: "No tuve relaciones sexuales con esa mujer". "No cabe duda de que Saddam Hussein tiene armas de destrucción masiva". En la política, el engaño no tiene partido.)

En 2006 hubo un revuelo en Harvard por una estudiante que escribió una novela que enloqueció a la crítica literaria hasta que se supo que ella había copiado algunos de sus pasajes, al pie de la letra, de la novela de otro autor. Cuando fue descubierta dijo que se trataba de un error honesto, causado por su propia "memoria fotográfica".

En el mismo año, apareció un joven tonto que escribió sus memorias; con plena consciencia inventó toda suerte de mentiras y las presentó como la historia de su propia vida; se convirtió en un enorme, *enorme* éxito editorial, y por último fue llamado a rendir cuentas en el *Show de Oprah Winfrey.*

Aquí enfrentamos a dos tipos de mentirosos: un plagiador y un fabulador. Se ha dicho que la diferencia entre ellos es que el plagiador roba porque sospecha que sus propios talentos no son lo suficientemente buenos, mientras que el fabulador miente porque sospecha que sus propias verdades no son lo suficientemente interesantes. Confío en que sus sospechas son ciertas.

Pero, además, tenemos el caso de personas bastante talentosas que aun así caen en el plagio.

Recuerde el lío con Bob Dylan. Ese fue un lío bien gordo. "¿Quién es ese tal Dylan que toma prestadas líneas de Henry Timrod?", decía jubiloso el titular de un periódico. Timrod era un poeta más bien poco conocido de la Guerra Civil y al parecer Dylan lo había plagiado, sin restricciones, en un álbum en que los créditos decían: "Todas las canciones fueron escritas por Bob Dylan". Ay, cómo me duele el corazón.

Recuerde a los historiadores Doris Kearns Goodwin y el ya fallecido Stephen Ambrose, acusados hace varios años de apropiarse del trabajo de otros. Ella, en el libro *The Fitzgeralds and the Kennedys (Los Fitzgerald y los Kennedy)* y él, en *The Wild Blue (El azul salvaje)* y es posible que también en otras de sus obras.

Los dos se hallaban en el mejor momento de su carrera, los dos estaban poniendo todo en riesgo al apropiarse de material ajeno y los dos con seguridad eran conscientes de la facilidad irrisoria con que se descubren las cosas hoy en día. ¿Entonces, qué era lo que estaba ocurriendo? La pregunta que se le viene a uno a la mente es la que Jay Leno de NBC le formuló al actor inglés Hugh Grant después de que fuera arrestado por haber tenido sexo con una prostituta callejera en un auto que estaba estacionado, ¡imagínese!, no en la espesura de un bosque lejano, sino en pleno Sunset Strip en Los Ángeles. Leno le preguntó, con las cámaras rodando: "¿Qué diablos estaba usted pensando?".

Exactamente.

Descartemos (aunque yo no la descarto del todo) la teoría freudiana de poco valor de que las personas que hacen este tipo de cosas tal vez de modo inconsciente *quieren* ser atrapadas, y consideremos otras posibilidades.

Ambrose se quitó de encima a todos los críticos con una actitud desafiante: "Si mientras estoy escribiendo un pasaje quiero contar una historia y encuentro una historia que encaja y parte de esta está tomada de textos de otros autores, simplemente la transcribo así y le pongo una nota a pie de página". Una especie de *droit du seigneur*.

Goodwin se excusó. El problema, dijo ella, había sido un descuido al tomar notas; no marcó sus fuentes como debía en cerca de novecientas páginas de notas escritas a mano.

Eso *sí* es descuido. También es una forma peculiar de conservar el material investigativo. ¿Pero podría ser posible que Goodwin hubiera cometido un error honesto?

Podría ser. En tales casos, yo preferiría asumir que sí. Primero, porque no cuesta más. Segundo, porque sin duda alguna, el plagio no intencional existe. Incluso existe una palabra para ello: *criptomnesia*. Estupenda palabra, quizá la conoce. Yo no la conocía hasta que la encontré en mi leal diccionario Webster: "Criptomnesia: la aparición en la conciencia de imágenes de recuerdos que no son identificados como tales, sino que aparecen como creaciones originales".

En otras palabras, si usted hace uso de la propiedad de la mente de otro individuo y la reclama como propia porque de veras no recuerda que *no* es suya, eso es criptomnesia. Usted es un criptomnésico. (Ah, me *encanta* esa palabra.) Es algo muy común en ciertas profesiones. Por ejemplo, los compositores de canciones o los escritores de guiones que a menudo trabajan en equipo, olvidan quién escribió qué y a veces reciben créditos por líneas escritas por otros.

Sé lo fácil que es hacerlo, porque yo misma, de cierto modo, lo hice.

Una vez escribí un artículo sobre terapia de pareja para *The New York Times Magazine*. Un lector le mandó una carta al editor clamando: *¡plagio!* Recordaba que hacía mucho tiempo había leído palabras increíblemente parecidas, aunque no recordaba la fuente.

Tenía razón. Yo me *había* plagiado a mí misma: ¿autocriptomnesia? Se me había olvidado por completo que había expresado algunas de estas mismas opiniones, sobre este mismo tema, en esta misma revista casi veinte años atrás, cuando la terapia de pareja, junto con la terapia sexual y un sueño imposible llamado matrimonio abierto, estuvo muy en boga. Pero algo *debió* haberse colado de manera inconsciente, cuando escribí el segundo artículo.

Ese algo pudo haber estado relacionado con el fenómeno que mencioné antes, llamado imprimación, el estímulo inconsciente de la memoria. Por ejemplo: Si a un amnésico se le da el mismo acertijo varias veces para que lo resuelva, cada vez le será más fácil resolverlo, sin que tenga memoria consciente de haber visto el acertijo antes.

Bueno, entonces, ¿todo lo anterior no hace que sea posible que en la medida en que tengamos un contacto cada vez mayor con la propiedad mental de otra persona —una idea, una anécdota, un experimento, una invención, un chiste, un texto, una receta, cualquier cosa— pudiéramos comenzar a tomarla, de buena fe, como nuestra?

★ ★ ★

Daniel L. Schacter, psicólogo de Harvard, en su libro *Searching for Memory* (*La búsqueda de la memoria*) afirma: "Se ha demostrado, con base en experimentos, que el solo hecho de repetir un enunciado falso una y otra vez lleva a la gente a creer que es cierto. De igual manera, cuando en forma reiterada pensamos en una experiencia pasada o hablamos de ella, tendemos a estar cada vez más seguros de que la recordamos con precisión".

De la edad madura en adelante, cada vez es más factible que esto ocurra. No solo por la suma de los efectos generales del tiempo —la forma en que este va haciendo que el recuerdo de un hecho sea difuso, o en que va solidificando versiones falsas del mismo— sino más específicamente porque, como lo he anotado antes, *la memoria fuente*, la memoria por contexto ("Acabo de oír esa historia, ¿pero por boca de *quién*?", "Me los encontré hace poco, ¿pero *dónde*?".), es uno de los tipos de memoria que primero comienza a evadirnos. Lo que puede ser bastante asustador, aunque, y aquí gustosa me repito a mí misma, es totalmente normal.

Súmele a esto el eterno problema de "la punta de la lengua": ese adjetivo exacto que es el indicado y que no se logra asir. Uno puede recordar el hecho bastante bien, pero ser incapaz de encontrar las palabras para describirlo con precisión, entonces la descripción verbal pasa a convertirse en la versión que se registra.

A esto se suma también que los recuerdos, al igual que los sueños, se ven afectados por deseos y temores inconscientes de modo que todos estos "podría", "habría", "debería", tan comunes, colorean muchísimo la forma en que recordamos. Siempre nos enfrentamos con (A) el hecho tal como ocurrió en realidad, revestido de (B) cómo pensamos que *podría* haber ocurrido, modificado aún más por (C) cómo creemos que *debería* haber ocurrido y con la carga adicional de (D) cómo *desearíamos* que hubiera ocurrido o de (E) cómo *tememos* que ocurrió en realidad.

Esto es mucho peso para echarle encima a un recuerdo. Con razón que el pobrecillo a veces se inclina hacia la derecha o hacia la izquierda de la precisión. Y cada vez que uno lo recupera, por supuesto, después regresa al archivo, y en todo este proceso puede sufrir más alteraciones. Esto es lo que sucede cuando uno piensa que recuerda a la perfección una experiencia de la infancia temprana. Es probable que lo que está recuperando es la última versión que uno depositó de nuevo en las ocultas profundidades del banco de la memoria, quizá distorsionada aún más por los recuerdos que tienen nuestros padres y hermanos con respecto al mismo hecho.

Domna Stanton, una amiga muy querida nacida en Grecia, profesora de literatura francesa, tiene recuerdos vívidos de ciertas experiencias infantiles que vivió en su país natal. "Pero no tengo ni idea si recuerdo estas cosas como en realidad me ocurrieron o en la forma como mi familia las repetía a lo largo de los años. Ni siquiera puedo estar segura de si ocurrieron o no a pesar de que los recuerdos son muy reales".

También está el efecto distorsionador de la culpa. La culpa es una pésima compañera. Nos incita a editar nuestros recuerdos en versiones que nos resulten soportables. Mientras más viejos nos hacemos, más editamos y menos creemos que lo hayamos hecho.

Una psicoterapeuta me cuenta dos relatos que fueron reescritos por ese motivo:

Un paciente tenía cuarenta y seis años cuando su padre murió. Tenía una relación difícil con ambos padres, le había dejado de hablar a su padre hacía varios años y no asistió al funeral de este.

Su madre no podía perdonárselo. Él no podía perdonárselo a sí mismo. Con el transcurso del tiempo pasó de convencerse de que (A) tenía una justificación para no asistir al entierro, a (B) que habría asistido, pero sabía que a su padre no le habría agradado su presencia, a (C) que había tenido muchos deseos de ir al funeral, pero que su madre había sugerido que no sería bienvenido. Murió a los sesenta y ocho años, a la misma edad que su padre y en la misma fecha, plenamente convencido del punto C.

La terapeuta tenía otro paciente (ya falleció también; ella nunca discutiría un caso clínico si el paciente estuviera vivo) que estaba cuidando a un nieto en edad preescolar, cuando se desató un incendio en un edificio cercano. Él quería ver el incendio, así que llevó al niño. Hubo escenas aterradoras, incluso sacaron un cadáver del interior del edificio. Esto hizo que el niño sufriera terrores nocturnos durante algunos meses. La culpa del paciente —por haber dejado que su nieto presenciara esta escena y por el trauma que eso le había generado— fue más de lo que él podía soportar. Entonces reescribió la historia, simplemente la editó, sacando al niño de la historia. Había ido solo al lugar de los hechos; había permanecido allí unos instantes para cerciorarse de que el incendio no se estaba propagando. Así lo contó y así lo creyó, insistiendo que el niño se había imaginado que estaba con él; y continuó creyéndolo hasta que la terapeuta lo guió, a rastras durante todo el proceso, a confrontar la verdad.

Creo, en realidad, que hay otra forma en que la edad afecta todos estos autoengaños. Se nos dice, no sé quién lo dice exactamente, pero nos lo repiten con insistencia, que nos volvemos más afables al envejecer. No lo creo ni por un instante. Creo, como dije antes, que a medida que envejecemos nos volvemos más de lo que hemos sido desde el principio.

"¿Este abuelo —le pregunté a la terapeuta—, siempre fue de ese tipo de personas que nunca puede admitir que cometió un error?".

"Oh, ¡ni que lo diga!", me contestó.

Eso es editar un recuerdo movidos por la culpa; todos lo hacemos, pero ojalá en una forma menos compleja.

★ ★ ★

Podemos también llegar a adornar un recuerdo por razones de… Bueno, porque queremos ganar amigos, tener influencia sobre la gente y que nos inviten a fiestas maravillosas.

Nos encanta contar una buena historia. Una buena historia contribuye a que uno sea un invitado a cenar muy cotizado. Y como nuestra moral es tan frágil como la del próximo humanoide, quizá cada vez que contemos esa historia la agrandaremos un poco más. Es el pez casi perfecto que se nos acaba de escapar. ¿Será que con el tiempo terminamos por creernos la historia? ¿Es necesario que lo pregunte? Repítala suficientes veces y terminará jurando sobre la Biblia de su abuela, en el estrado de los testigos, que es absolutamente cierta.

Ahora añádale todas las formas en que la memoria puede ser distorsionada por el poder de la sugestión, con eso podría escribirse un libro (en efecto, se han escrito muchos). Solo necesita devolverse a los años noventa, a todos esos casos de niños en edad preescolar convencidos de que los profesores del jardín infantil habían abusado sexualmente de ellos. Esto fue seguido, como era de esperar, por un brote de casos de "recuperación de la memoria": mujeres jóvenes que de repente recordaban que sus padres habían abusado sexualmente de ellas cuando eran pequeñas. Era contagioso; alcanzó una magnitud epidémica. Luego, de repente se acalló. ¿A dónde fue a parar toda esta epidemia?

De hecho, algunos psiquiatras y científicos cognitivos no creen en absoluto en el concepto freudiano de la memoria reprimida por más que este les encante a los productores de Hollywood. Fue un debate candente en la década de los noventa, luego se extinguió, luego se reavivó con las acusaciones de abuso sexual contra sacerdotes católicos. Algunos de los no creyentes, dicen que un recuerdo no se reprime de manera activa, sino que simplemente se olvida, y se queda reposando en las tumultuosas profundidades del cerebro durante años, décadas, hasta que algo lo hace salir a la luz.

Súmele a todas estas influencias sobre la memoria el efecto, a su vez distorsionador, del orgullo y del ego, el largo alcance autoprotector del ego.

Analice este caso: Una pareja se casa; todo el mundo está feliz; usted comenta: "Apuesto que este matrimonio durará para siempre".

Cinco años más tarde se divorcian. Usted dice (bueno, a lo mejor usted no, pero *yo* tal vez sí): "¡Siempre tuve la sospecha de que no duraría!", y eso es lo que usted cree.

Si un amigo, con ánimo de *ayudar*, anota: "¿Recuerdas cuando dijiste que duraría para siempre?". Usted le responde: "¡No, eso no fue lo que dije!", y también se lo cree.

Esto no es solo el efecto del tiempo y de la edad. La necesidad de sentirse *bien* es un factor muy importante en cómo recordamos y en cómo olvidamos. Estas frases son la pareja de gemelos que protegen al ego: "¡Nunca dije eso" y "¡Lo sabía!".

En el genial libro de Joan Didion, *El año del pensamiento mágico*, la autora describe la experiencia, casi tan difícil como caminar en la cuerda floja, de intentar convencer a unos médicos renuentes sin antagonizar con ellos, de hacerle un tratamiento específico a su hija que está gravemente enferma. "Había una forma de saber si se había hecho algún avance. Se sabía, cuando al día siguiente, el médico a quien uno le había hecho la sugerencia, presentaba ese plan de tratamiento como si fuera propio".

No obstante, el médico —no hay forma de saberlo, pero *quizá*— se había convencido a sí mismo de que el plan era suyo. Especialmente porque los médicos, más que cualquier otra persona, necesitan sentirse *bien*.

Una amiga arquitecta que solía vivir y trabajar en un pueblo turístico, recuerda con indignación comprensible la vez que una pareja famosa y adinerada le encargó el diseño de una casa para las temporadas de esquí:

Vi un anuncio publicitario de unos maderos antiguos de graneros ingleses del siglo dieciocho. Pensé: "¡Sería magnífico volver a ensamblarlos en el campo! No sería algo estructural, por supuesto, pero se verían espléndidos en el exterior".

A mis clientes les fascinó la idea. Así que lo hice y el resultado fue maravilloso. Ellos estaban encantados. Un año después, estábamos todos sentados en un restaurante y la esposa comentó lo mucho que le gustaba la casa y dijo: "Gracias a Dios se me ocurrió la idea del granero inglés".

Me quedé estupefacta. Era imposible que ella en realidad creyera esto, ¿no es así?

No, claro que era posible. No estoy afirmando que lo creyera, pero sí que podría creerlo. A medida que el tiempo pase y que ella y los maderos sigan envejeciendo, sin duda esta creencia se afianzará más en ella.

De nuevo, es el triunfo del ego sobre la memoria. Pasa todo el tiempo.

A menudo, olvidar es pura táctica. Quizá una táctica consciente, quizá inconsciente, pero siempre deliberada; a veces es dificilísimo reconocerla puesto que es una mezcla psicológica muy variada.

Fui testigo del rompimiento de una larga y cercana amistad entre dos mujeres que conozco desde hace muchos años. Llamémoslas Jane y Mary. En el asunto hubo dinero de por medio, lo que casi siempre implica problemas. Jane necesitaba dinero y Mary se lo prestó. Era una módica suma, pero aun así, era un préstamo. Pasaron los meses y Jane no mencionó el préstamo. Compró un nuevo computador y no mencionó el préstamo; viajó a las Islas Galápagos y no mencionó el préstamo. Entre tanto el resentimiento de Mary crecía y crecía.

"Cuando alguien afirma que 'No se trata del dinero', uno sabe que se trata del dinero". Un viejo proverbio, agudo, gracioso y a menudo cierto. Pero en este caso, en realidad no se trataba del dinero. Se trataba de que Mary sentía que había sido utilizada, un sentimiento que pocos podemos manejar con altura.

Me dijo: "Me juré a mí misma que tendría suficiente clase como para nunca sacar el tema a la luz. Pero lo hice, y ella me respondió: 'Se me olvidó', y parecía enojada. A los dos días me llegó el cheque, y ese fue el final de nuestra amistad".

¿A Jane se le había olvidado? ¿*Medio* olvidado? ¿Sentía acaso, conscientemente, que tenía pleno derecho: "Tú lo tenías y por lo tanto no tienes derecho a esperar que te lo devuelva"?

No hay forma de saberlo. Pero, en algún nivel turbio de sus intenciones, con seguridad fue una táctica.

A veces la táctica es a todas luces consciente. Ejemplo: hay sujetos que nunca recuerdan quién es uno, no importa cuántas veces se los haya encontrado. Conozco una actriz, no es una estrella pero es excelente en su oficio, a quien le sale humo por las orejas cada vez que oye mencionar el nombre de otra actriz (mucho más conocida, aunque no tan talentosa).

"Esa farsante —me dice—, esa mujer y yo nos hemos encontrado un montón de veces y siempre es lo mismo: 'Ah, ¿cómo le va?', como si no nos conociéramos. Siempre me dan ganas de decirle: 'Oye, tú y yo ya nos hemos visto mil veces. ¿Estás pasando por uno de esos *olvidos que vienen con la edad*?'"

"¿Y por qué no lo haces?", le pregunto.

"Tal vez porque temo lo que pueda responderme", me dice, encogiéndose de hombros.

"¿Como qué?".

"Como: 'Es que simplemente no eres memorable'".

(Si está interesado en las estrategias de contraataque, otra mujer que conozco tiene una muy efectiva. Ella golpea antes de que la ofensora reincidente pueda asestarle el mismo viejo golpe de saludarla como si nada. Supongamos que el nombre de la ofensora sea Dorothy, mi amiga le dice llena de alegría: "¡Qué bueno verte, Dafne!", y con una cálida sonrisa sigue de largo sin ninguna prisa. La he visto hacer esto. La muy diplomática.)

Sin darnos cuenta en lo más mínimo (eso espera uno), todos constantemente nos las arreglamos para jugarle trucos tácticos a la memoria. A uno se le sigue olvidando hacer una llamada obligatoria, o escribir esa difícil nota de condolencia, o hacer una diligencia desagradable. Uno promete a regañadientes hacer un favor y nunca se acuerda de hacerlo. Acepta una invitación a cenar bajo presión y se le olvida asistir. (Sucede sobre todo cuando el anfitrión en vez de decir: "¿Puedes venir a cenar el quince?", dice: "¿Cuándo vendrás a cenar?".)

"Es muy común —dice Margaret Sewell, una psicóloga de la ciudad de Nueva York—. Tuve una paciente que olvidó una cita conmigo porque estaba molesta debido a que yo le había cambiado la cita anterior. Fue un acto más bien inconsciente, muy diferente a decir: 'Al diablo con Sewell, la dejaré plantada, se está aprovechando de mí'. Claro que esto también sucede. Pero cuando la llamé, dijo: 'Oh, Dios, ¿tenía una cita? Lo *siento* tanto'… En lugar de venir y decirme: 'Me molesté muchísimo con usted'; cosa que hubiera sido muy complicada para ella porque es una de esas personas que se siente incómoda cuando se enoja con la gente.

El olvido puede ser un incidente de apariencia benigna cargado de sentimientos incómodos para la persona que olvida. A uno se le olvida el cumpleaños de alguien porque está molesto con esa persona, o decepcionado de ella, o porque ella tampoco recordó el cumpleaños de uno… La razón del olvido es que uno no acepta esos sentimientos".

He experimentado esto en ambas vías: se me ha olvidado el cumpleaños de otras personas y a su vez, a ellas también se les ha olvidado el mío. Se me ha olvidado, con la consciencia tranquila, ir como invitada a la casa de otras personas y me he enfadado cuando a mis invitados se les olvidó ir a la mía. Lo que me lleva directamente al peor (si la memoria no me engaña) lapsus de memoria de mi vida. Hoy, veinte años después, todavía me estremezco al recordarlo.

Estaba encargada de ser la anfitriona de una fiesta de cumpleaños. El cumpleañero era el ya fallecido Sey Chassler, editor de la revista *Redbook*, un buen editor y amigo; durante varios años escribí artículos para él. Era un cumpleaños importante, como de costumbre no recuerdo cuál, pero era importante, y dije que me gustaría ofrecer una cena en su honor para celebrarlo; hicimos una lista de doce invitados.

Llegó la gran noche. Llegaron los invitados.

Ay, Dios. La anfitriona no estaba en casa esa noche.

Había anotado la fiesta en mi calendario para la semana siguiente.

Cuando llegué a casa me esperaba una nota en el lobby del edificio. Decía: "Aquí estuvimos. ¿Dónde estabas?", seguida de once firmas.

Quería cortarme el cuello.

El homenajeado me perdonó con mucha generosidad. (También, con mucha generosidad, después de que el grupo estuvo dando vueltas por el vestíbulo un rato mientras me esperaban, preguntándose qué hacer, él los llevó a cenar a todos a un restaurante chino.) Pero nunca me perdoné a mí misma. Esta era una fiesta que *quería* hacer, este era un amigo muy preciado para mí. Por qué me las había arreglado de un modo tan cabal para arruinarlo todo, nunca lo sabré, y para ser sincera, tampoco quiero saberlo.

A no ser, por supuesto, que hubiera sido una de esas ocasiones, que también las hay, en las que las cosas simplemente son lo que son. Lo anoté mal en el calendario y punto.

Hago alusión a esto para ilustrar que, a pesar de estar en medio de todos estos trucos engañosos de la mente, debemos permanecer alertas para no caer en errores de sobreinterpretación. A saber: la madre de mi difunto esposo estaba en un hogar de reposo después de sufrir una apoplejía. Cada vez que la visitábamos Hal le preguntaba qué quería que le trajera la próxima vez. Una vez ella le respondió:

—Tráeme mi vestido de matrimonio.

— ¿Tu qué?

—Mi vestido de matrimonio —lo dijo con impaciencia, como queriendo decir, ¿cuál es el problema?

Nos hicimos a un lado, mientras la enfermera le daba las pastillas. Hal parecía afligido. "Creo que esto es todo", murmuró.

Pero no, *no* no era todo. La memoria de su madre estaba en buen estado. Resultó ser que otra paciente iba a celebrar su aniversario a la semana siguiente y la madre de Hal de veras quería el vestido de matrimonio, su vestido de *fiesta*, el que siempre se ponía para asistir a las bodas.

Esta experiencia me enseñó una lección muy valiosa: solo porque parezca un pato, camine como un pato y haga *cua, cua*

como un pato, no haga suposiciones. No cuando se está hablando de la memoria.

CAPÍTULO DIEZ

¡Huy! Duele recordar eso

Tengo mucha artritis en la mano y en la muñeca izquierda. No me duele todo el tiempo, pero cuando lo hace, el dolor es muy fuerte.

Cuando *no* me está doliendo, no puedo recordar con precisión el dolor. Puedo *describirlo*. Puedo señalar el nudillo engrosado del pulgar y decir: "A veces siento como si me enterraran un clavo aquí". Puedo rodearme la muñeca y decir: "A veces siento como si me la retorcieran y me la rompieran". Pero esto, como digo, son meras descripciones de una sensación. Lo que no logro recordar es cómo se percibe la sensación en sí cuando está en todo su esplendor.

Tampoco puedo recordar un terrible dolor de muela que me dio hace poco, o un dolor que me hizo retorcer cuando tenía un tumor fibroide meciéndose en mi intestino, o algo por el estilo. Y qué bueno que no lo pueda hacer.

Simplemente no podemos recuperar con precisión la experiencia del dolor físico. (Tampoco podemos hacerlo con el placer físico. Intente recordar la sensación exacta del clímax sexual. En realidad, no se puede —lo que también es bueno— porque si fuera posible, nadie trabajaría nunca. La Madre Naturaleza no es ninguna tonta.)

"No hay una memoria literal del dolor —dice el Dr. Relkin de Cornell—. Uno puede recordar que *tuvo* un dolor, pero si trata de hacer resurgir la imagen del dolor que tuvo en la raíz de un diente o en el parto, no puede hacerlo. El dolor no tiene ese tipo de representación en la memoria".

Lo extraño es esto: podemos recordar el dolor *emocional* muy bien. Podemos recuperar con gran precisión los momentos de remordimiento, de humillación, los tormentos del rechazo, o del fracaso, o de la aflicción.

Al decir "recuperar con gran precisión" me refiero a mucho más que el acto mismo de recordarlos. Me refiero a que en realidad podemos volver a experimentar la sensación; en especial la aflicción. El fenómeno de la memoria tiene muchos aspectos asombrosos. Uno de ellos es ser capaz de hacer cosas como esta: que meses, años e inclusive décadas después de que un ser amado fallece, de repente una mirada rápida a un rostro en la calle, o una fragancia, o un fragmento fugaz de una melodía nos lo trae a la memoria y sentimos una punzada de dolor tan fuerte como cuando la pérdida era reciente. No es necesario un gran estímulo para activar el banco de los recuerdos.

Contaré una historia personal, si me lo permite, para ilustrar este punto. Fue terrible cuando sucedió, pero tuvo un final feliz. De nuevo está relacionada con mi esposo ya desaparecido, el urólogo Harold Lear (en el libro *Heartsounds* (*Sonidos del corazón*) describo la odisea de su enfermedad y su posterior fallecimiento). Es innegable que idealizamos a los seres queridos cuando se ausentan, tal como transformamos a otros seres en demonios. ¿Ha notado que todas las ex esposas son unas locas, los ex maridos unos canallas y las esposas fallecidas unas santas? Pero este de veras era un hombre sensacional y yo lo adoraba, y su muerte, a los cincuenta y ocho años, fue el acontecimiento más doloroso de mi vida. Tardé muchísimo tiempo en reponerme, y fue un proceso durísimo.

Una vez, tres años después de su muerte, iba caminando por la calle y de repente vi, sólo de perfil, a un hombre que se parecía a Hal, que caminaba como Hal y *zas*. Tuve que hacer un gran esfuerzo para contenerme y no cruzar corriendo la calle y agarrar de la camisa a este extraño. (El impulso no siempre puede ser refrenado. Una amiga hace poco me relató una experiencia similar. Vio a un hombre joven en la calle, era una "copia exacta", dijo ella, de su querido hermano que había muerto en Vietnam a los diecinueve años de edad. Corrió hacia él, lo agarró y se quedó allí, casi cuarenta años después de la pérdida, y lloró en el hombro del muchacho que no salía de su asombro. "¡Imagínate!", dijo ella. Claro que me lo podía imaginar. Creo que todo el que ha perdido un ser amado se lo puede imaginar.)

Adelantemos rápidamente la cinta hasta una noche, años después de que enviudé, en que unos amigos me invitaron a una cena íntima. Entre los invitados había un hombre atractivo que parecía estar solo. Pensé que tal vez los anfitriones estaban intentando buscarme pareja, pero no se trataba para nada de esto. Uno de ellos me llamó aparte y me contó que lo habían invitado con la esperanza de levantarle el ánimo pues estaba hecho un "manojo de nervios" por la muerte reciente de su esposa. Escuché la palabra reciente y pensé: "*Pobre hombre, yo recuerdo*".

Sosteníamos una conversación agradable en la mesa del comedor hasta que alguien le preguntó al hombre cuánto hacía que había perdido a su esposa. En ese repentino silencio, lo escuché decir: "Hace ocho meses".

De nuevo, *zas*. Gracias a nuestros recuerdos todos somos máquinas humanas del tiempo, a veces de manera asombrosa, otras veces de manera dolorosa. Escuché "Hace ocho meses" y de inmediato me remonté a través del tiempo y del espacio hasta cuando tenía solo ocho meses de viudez y a cómo se sentía tener solo ocho meses de viudez. Lo sentí de modo preciso, ese mismo dolor se filtró dentro de mis huesos, yo estaba *allí*. Para sorpresa de todo el mundo, especialmente mía, comencé a llorar, no con decoro, sino de esa forma fuerte y aguda que hace que la gente desee que uno se vaya a otro lado y se sople la nariz. Eso hice. Mascullé una disculpa y corrí hacia otra habitación, sintiéndome humillada.

Él me siguió. Me sorprendió (y todavía me sorprende) que este hombre, agobiado por su propia carga de tristeza, viniera a consolarme a *mí*. Pero el haber sufrido una pérdida y el dolor que esto conlleva son algo enorme para tener en común. Esto nos permitió tomar un atajo y ahorrarnos todos esos aburridos rituales de *Llegar a conocerte*. Entablamos una amistad rápidamente, y luego más que una amistad y luego nos fuimos a vivir juntos y con el tiempo nos casamos.

Siempre he estado convencida de que nada de esto hubiera ocurrido sin la señal "hace ocho meses". Esta hizo que desde un lugar cualquiera en mi cerebro en donde estaba guardado, emergiera el recuerdo particular de un dolor emocional para que fuera recuperado en pantalla gigante y a todo color.

¿Entonces por qué el tormento de un terrible dolor de muela no puede ser traído a la memoria con la misma precisión?

Volvamos a la Madre Naturaleza: Si usted asume la perspectiva darwiniana de cómo funcionan las cosas, como lo hace la mayoría de los científicos que he entrevistado, es probable que haya una razón. Estas diferencias no sucedieron simplemente porque sí. Debieron ser, como lo dicen los darwinistas, de alguna manera adaptativas, ofrecían ciertas ventajas evolutivas.

En los ochenta, era una colaboradora regular de la columna *Cuerpo y mente* en *The New York Times Magazine*. Una de mis columnas se tituló *Diseños de la naturaleza*. Hablaba sobre los malabares de la misma naturaleza, esta nos agobia en la vida moderna con problemas que alguna vez, en tiempos muy remotos, pudieron haber servido para fines adaptativos, una especie de plan primordial compre ahora y pague después.

Un ejemplo que viene muy al caso es el dato curioso, y médicamente bien fundamentado, de que los infartos cardíacos tienden por encima de la probabilidad numérica, a presentarse en las horas de la mañana. ¿A qué podría deberse esto?

Esta es la teoría del Dr. Louis Teichholz, en ese entonces sub-director de cardiología en el Centro Médico Mount Sinai de Nueva York:

"Imagínese al hombre de la prehistoria disponiéndose para ir a cazar. ¿Cuándo haría esto? Lo más factible es que lo hiciera en las mañanas, al despertar. Hubiera querido, hablando desde una perspectiva teleológica, tener mucha adrenalina en las mañanas para cazar mejor. La adrenalina hace que la sangre sea más espesa, más pegajosa, más coagulable. Su sangre hubiera *querido* estar más espesa en la mañana para no morir desangrado en caso de que una piedra o la garra de un animal lo hirieran. Esta puede ser la razón por la que tenemos más adrenalina en las mañanas y también es la razón que hace más factible que los infartos cardíacos sucedan en la mañana. Hablando desde una perspectiva teleológica, por supuesto".

(Teleología: "El estudio filosófico de la evidencia del diseño en la naturaleza. El uso del diseño, propósito o utilidad como explicación de cualquier fenómeno natural" —Diccionario Webster).

En esta misma columna, el Dr. George F. Cahill, Jr., especialista en enfermedades metabólicas, entonces vicepresidente del Instituto Médico Howard Hughes de Bethesda, Maryland, propuso una explicación teleológica para las enfermedades autoinmunes tales como la diabetes tipo I, la esclerosis múltiple y la miastenia gravis que tienen una alta incidencia en los países del norte de Europa.

"A lo largo de cuatro mil años, oleadas de población del Cercano Oriente se desplazaron a través de Europa hacia el norte; a medida que esto ocurría se fueron apiñando para protegerse del frío y comenzaron a contraer enfermedades altamente infeccio-sas, probablemente tuberculosis y sífilis —dijo el Dr. Cahill—. Esto hizo que el sistema inmune de la gente que sobrevivía fuera más fuerte. Hoy en día, esta bondad se convirtió en algo negativo para los descendientes de estas poblaciones. Esta misma fortaleza del sistema inmune puede causar reacciones autoin-munes y es por ello que en el norte de Europa hay una alta inci-dencia de enfermedades autoinmunes".

También ofreció una explicación clara, quizá no muy recon-fortante de oír, pero clara, sobre el aumento de peso en la edad madura: "En la época primitiva, cuando la esperanza de vida era tan corta, pudo haber existido una ventaja selectiva en conservar una parte de la población mayor más gorda, en aras de la su-pervivencia. Después de todo, aún no había registros históricos. Quizá era deseable conservar unos pocos individuos gordos, de más edad para poder contar con alguien que pudiera recordar dónde estaba el abrevadero. Quizá por eso perdemos regulación calórica al ir envejeciendo".

Me encantan estas especulaciones. Como, por supuesto, es imposible probarlas (o igualmente, refutarlas), el Dr. Jeffrey S. Flier, que en ese tiempo hacía una especialización en diabetes y metabolismo en el Hospital Beth Israel en Boston, me ofreció otra teoría sobre la grasa que también sirve.

Para explicar por qué el metabolismo humano tiende a ha-cerse más lento al ir envejeciendo, sugiere que:

"A medida que el hombre primitivo envejece, quizá se hace menos útil como cazador-recolector, y tiene que quedarse espe-rando en el campamento las sobras de comida. Esta puede ser una larga espera. Así que habría una razón para tener un meta-bolismo que permitiera almacenar más calorías... El tipo de me-tabolismo que la gente desearía tener hoy en día —uno que, a pesar de atiborrarse de grandes cantidades de comida repugnan-temente empalagosa, les permitiera permanecer delgados— ese tipo de metabolismo, no hubiera sido útil cuando el hombre se las arreglaba para comer una buena comida *quizá* solo una vez a la semana.

Esta gente hubiera sido la primera en morir en tiempos de carestía. La gente que se mantiene aguantando hambre y quejándose porque gana peso con cualquier cosa que se come, hubiera tenido una ventaja óptima. Los genes que sobreviven son aquellos que *a fin de cuentas* brindan alguna adaptación. Después de un periodo de inanición podrían desaparecer los genes de un metabolismo ineficiente y podrían sobrevivir los de un metabolismo ahorrador, que aprovecha al máximo lo que se ingiere".

Aquellos genes que *a fin de cuentas* brindan alguna adaptación. Ahora, volvamos a ese dolor emocional tan difícil de olvidar y a ese dolor físico tan difícil de recordar. ¿Cuál sería la ventaja de *eso, a fin de cuentas*?

Bueno, la mayoría de nosotros es capaz de hacerle frente a las responsabilidades básicas de la vida, aun en medio de un dolor emocional. El solo hecho de ver a un antiguo jefe que solía humillarnos, o a un antiguo amigo que nos traicionó, de repente nos hace hervir la sangre con la misma rabia impotente de antes. Vemos un programa de televisión en el que la madre de alguien se muere y de repente nos inunda la tristeza por la muerte de nuestra propia madre ocurrida muchos años atrás, como si hubiera sido ayer. Pero nos las arreglamos, cuando hay que hacerlo, para recuperar la compostura y atender a la familia, ir a la oficina, cumplir con el trabajo, poner una cena en la mesa, pagar las cuentas y hacer todo lo que haya que hacer.

Imagínese, sin embargo, si cada pequeña punzada en una víscera provocara no solo el recuerdo, sino que reviviera literalmente algún terrible dolor posquirúrgico. O si ver a alguien llevando un brazo quebrado en un cabestrillo lo hiciera llorar a uno al revivir el tormento de una fractura que sufrió hace tiempo.

O piense en ese cazador prehistórico en el escenario descrito por el Dr. Teichholz: suponga que cada vez que levantara el arma para ir a cazar, de repente volviera a experimentar el dolor de un zarpazo que le había propinado una presa. ¿Seguiría adelante? ¿O diría: "Lo siento chicos, paso, dejemos que alguien más traiga la comida a casa"?

Si tuviéramos una memoria literal del dolor físico intenso, podríamos quedar inmovilizados. La sociedad podría dejar de funcionar de un modo organizado. Si toma en consideración el ejemplo clásico, los dolores del parto, tendríamos una reducción espectacular en el crecimiento de la población y hasta es posible que como especie, fuéramos desapareciendo lentamente.

El parto: uno lo experimenta y jura que nunca lo olvidará y después a uno en buena medida se le olvida. ¿Se imagina si no fuera así?

"Usted sabe, es el viejo asunto sobre las mujeres y todo el dolor de dar a luz —dice el Dr. Yaakov Stern—. Si pudieran recordar lo doloroso que fue, tal vez dejarían de hacerlo".

Como digo, la Madre Naturaleza no es ninguna tonta; hablando desde una perspectiva teleológica, por supuesto.

CAPÍTULO ONCE

El síndrome del estudiante de medicina
Esto debe ser Alzheimer

TAL VEZ LA MEJOR MANERA DE EXPLICAR el síndrome del estudiante de medicina, que no es tan fácil de pronunciar como Trastorno de Ansiedad Social y otros inventos brillantes de la industria farmacéutica, es contarle una conversación que sostuve el año pasado con Jessica Hoover, estudiante de primer año de la Escuela de Medicina de Johns Hopkins.

"Me acuerdo perfectamente —dijo Jessica, que en ese entonces tenía veintitrés años. A esa edad ellos se acuerdan de todo perfectamente—. Asistíamos a una conferencia sobre la piel en la que nos mostraban fotografías ampliadas de pieles normales comparadas con pieles anormales. De repente vi una enorme fotografía de un pedazo de piel con dos manchas oscuras y una lesión rosácea. Bueno, yo trabajé muchos años como salvavidas y tenía lunares como este en el pecho y pensé: 'Ay, Dios, esa soy *yo*'.

Telefoneé a mamá, que es patóloga y le dije: 'Mami, creo que tengo un melanoma'. Ella me contestó: 'Siii… (en ese tono de voz que significa *otra vez con lo mismo*). Tú no tienes un melanoma. En la escuela de medicina uno piensa que tiene todas las enfermedades que estudia. Cuando te enseñan los tumores cerebrales, te empiezan los dolores de cabeza. Cuando estudias la fisiología del corazón, te empiezan las palpitaciones. Cuando estudias el sistema digestivo, te dan dolores de estómago y diarrea'".

Ese es el síndrome del estudiante de medicina.

Le pregunté al neurólogo Barry Gordon, uno de los profesores de Jessica, si él había padecido este síndrome.

"Oh, claro. Por lo general es el problema del lunar: *¿Esto ha cambiado? ¿Ahora qué es?* Y no son solo los estudiantes. Cuando era un interno solía hacer muchas flexiones de pecho con los pies descalzos y esto ejerce mucha presión sobre el dedo grande del pie. Me salió una mancha negra en ese dedo y me preocupé mucho porque pensé que era un melanoma. Le consulté a una dermatóloga y me dijo: 'No es nada'. Yo le pregunté: '¿Cómo puede estar segura?'. Entonces me respondió: 'Bueno, si no puedo convencerte, ¿por qué simplemente no te cortamos el dedo?'. Insistí en hacer una biopsia y por supuesto no era nada".

Le cuento esto, no porque me apasione el tema de los lunares, sino porque del síndrome del estudiante de medicina hasta el síndrome de esto debe ser Alzheimer (no inspirado por las casas farmacéuticas, aunque estas todavía pueden ingeniarse una forma de comercializarlo), solo hay un salto nervioso.

Al parecer casi toda la gente que conozco, de la madurez temprana en adelante, en un momento dado se han golpeado la cabeza con la palma de la mano y me han dicho: "Ya no recuerdo *nada*", luego, con una risita amarga característica, hacen alguna alusión al Alzheimer.

Esto me ha obligado a hacer ciertos ajustes en mi pensamiento. Me agrada pasar un día en el hipódromo de vez en cuando, por ello siempre supuse que cuando alguien decía "la A Grande", se refería al *Aqueduct*, el hipódromo de la ciudad de Nueva York.

Ya no es así.

¿Se le olvidó dónde dejó los lentes (llaves, billetera, lo que sea)? "Creo que me está dando Alzheimer".

¿Se le olvidó devolver una llamada, pagar una cuenta, llevar la ropa a la lavandería? "Me debe estar dando Alzheimer".

¿Se le olvidó asistir a un almuerzo? "Juro que me está dando Alzheimer".

"No es que en realidad piense eso —dice una amiga en una medio retractación de las tantas que escucho—, pero de todos modos lo digo. Todos lo decimos y todos sabemos que a *todos* no nos puede dar Alzheimer. Pero cuando pienso en algo que tengo que hacer y a los tres segundos no puedo recordar qué era, me salgo de casillas. Esa es una de las consecuencias desagradables de no recordar las cosas: me mantengo enojada conmigo misma".

"Pero te estás riendo, ¿por qué?".

Se queda pensando un rato: "Bueno, supongo que la risa es por la incomodidad, pero también por la comodidad, porque toda la gente a la que le comento esto tiene las mismas quejas. Entonces es: '¡Ah, tú también!'. Sería horrible si fuera uno sólo. Pero hay algo medio divertido en el hecho de que todos estemos en el mismo barco".

Recibo un correo electrónico: "No recuerdo si te envié un recordatorio (ese es mi problema, en pocas palabras). Nos vemos esta noche a las 7:30". La remitente es Letty Cottin Pogrebin, escritora, activista en muchos frentes, y una de las personas más ocupadas que conozca. No solía tener que enviar recordatorios para preguntar si había enviado un recordatorio. Pero... ¡bienvenida al club! Es el problema de todo el mundo, en pocas palabras.

En una cena, me siento al lado de un alto ejecutivo de una de las cadenas más grandes de librerías del país. Comienza a hablarme de un libro que se está leyendo sobre la historia de los obituarios. "Suena lúgubre, pero en realidad es fascinante y divertido de leer", dice.

"¿Cómo se titula?".

"No logro recordarlo —hace una pausa. Nos acabamos de conocer, no espero ninguna confidencia. Después me dice—: Sabe, tengo cincuenta y siete años. Estoy justo en ese margen, ese margen de la generación del *baby boom*. ¡Hay tantos de nosotros! —para su información: los sociólogos por lo general definen los años del *baby boom* entre 1946 y 1964, un periodo de la posguerra de una fecundidad asombrosa, en el que hubo *setenta y ocho millones* de nacimientos—. Esto es una preocupación constante para mí. La conozco hoy, hablamos y mañana no podré recordar su nombre. Le estoy hablando del libro que me estoy leyendo y ni siquiera puedo acordarme del título. Mis amigos y yo hacemos bromas al respecto todo el tiempo. A todos nos está pasando y la razón por la que bromeamos es que estamos preocupados. '¿Me estará dando Alzheimer?'. '¿Hay algo que deba preocuparme?'. Lo que yo quiero saber es si debo preocuparme o si es normal. Porque si es normal, entonces no me preocuparé más".

Parece preocupado. La preocupación hace parte de él, como el traje. Siento ganas de rodearlo con los brazos como uno haría con un niño que tiene miedo de entrar al colegio y de decirle: "Tranquilo cariño, está bien, esto es normal".

Todos los terapeutas de la memoria pueden contarle a uno historias de personas de mucho empuje y personas de alto desempeño que llegan por montones al consultorio, angustiadas porque no recuerdan ni esto ni aquello y "¿Doctor, será Alzheimer?".

La psiquiatra Gayatri Devi los llama los Preocupados Sanos.

Los Preocupados Sanos. Hola, ¿sabe de quién estamos hablando?

Para los Preocupados Sanos, los síndromes predominantes solían ser los infartos y el cáncer de seno. Pienso en retrospectiva, en la década de los ochenta, en lo que escribí en el libro *Heartsounds* (*Sonidos del corazón*) sobre el primer infarto de mi esposo ya fallecido:

> Ser un estadounidense de sexo masculino, de cincuenta años, trabajador compulsivo —¿hay uno que no lo sea?— preocupado por el colesterol y las cuentas por pagar, trabajando bajo estrés y viendo a los viejos amigos sucumbir, uno por uno, a esa crisis del corazón... Supongo que las mujeres no pueden comprender este temor por completo; no este en particular. Nosotras, en cambio, nos atormentamos con el cáncer, tomamos el nódulo en el seno de nuestras amigas como una amenaza personal.

Eso era en ese entonces. Le decíamos al cáncer, la C Grande. Ahora tenemos una A Grande tan presente en la consciencia colectiva que a veces pienso que desplazó al cáncer de seno y a los ataques cardíacos, ambos mucho más tratables ahora que hace veinte años, y pasó a ser el enemigo público número uno.

"Hemos atendido abogados que están manejando muchos casos a la vez —dice Yaakov Stern, neuropsicólogo de Columbia—. Están preocupados, nos dicen: 'Tengo que escribir todo. Solía acordarme de las cosas de inmediato y si tenía sesenta casos, los recordaba todos con facilidad. Ahora tengo que estar revisando mis notas'.

Les pregunto: 'Sí, ¿pero siente que se desempeña en forma competente en relación al manejo de los casos y la comprensión de los problemas y demás?'.

'Pues sí'.

Sabe usted, mucha gente se queja de la memoria. Yo tengo quejas de la mía —cuando le hice esta primera entrevista, el Dr.

Stern tenía cincuenta años—. La clave es: ¿Hasta qué punto está afectando esto su habilidad para hacer lo que siempre ha hecho? Sí, muchos de nosotros somos olvidadizos porque tenemos muchas cosas que atender en nuestras vidas; y sí, la memoria empeora a medida que envejecemos; y no, yo no siento que mi memoria sea tan buena como cuando tenía veinte años. Pero si alguien me preguntara: 'Bueno, ¿le impide hacer su trabajo? ¿Todavía puede hacer lo que quiere hacer? ¿Puede pagar sus cuentas? ¿Puede hacer su trabajo? ¿Puede manejar su vida como está acostumbrado a hacerlo?'.

Sí, por supuesto que puedo. Esa es la delimitación".

Esos cambios cerebrales que afectan la memoria de maneras tan molestas comienzan a ocurrir muchísimos años antes de que los percibamos. Son claramente diferentes de los tipos de cambios que aparecen con la enfermedad de Alzheimer. Son *diferentes*: es un punto crítico que debe tenerse presente. Pero muchos de nosotros no sabemos que son diferentes y si lo sabemos, no lo tenemos presente.

Nos preocupamos, por ejemplo, cuando los lóbulos frontales del cerebro, necesarios para recuperar los recuerdos episódicos (autobiográficos) comienzan a hacer en la madurez lo que hacen los lóbulos frontales: perder velocidad y volumen. Como son una de las primeras áreas del cerebro en mostrar cambios, pueden dejar de darnos justo lo que queremos, justo cuando lo queremos. Por ejemplo, como ya dije antes, podemos descubrir que tenemos retrasos en la memoria por contexto: "Sé que *alguien* me contó esa historia, pero no recuerdo quién fue", o "Acabo de leer *algo* sobre eso, pero no recuerdo dónde".

Estas son las quejas comunes, clásicas y tediosamente normales, pero no las interpretamos como normales. Las interpretamos como problemas. Signos y presagios de la A Grande.

Muchos especialistas dicen que ese tipo de pérdida de la memoria del que hablamos no es ni siquiera una pérdida. Es una lentificación, que fue la razón por la que la psiquiatra Margaret Sewell afirmó (en el capítulo dos): "¿Quiere aprender italiano a los noventa años? ¡Está bien! Va a tardar un poco más de tiempo, pero, suponiendo que no haya ninguna patología, ¡puede hacerlo!". Ella, y todos los especialistas en memoria que entrevisté, aseveran lo mismo: esperamos y aceptamos que el cuerpo se haga más lento con el tiempo, pero no que la mente también lo haga.

"La velocidad de uno cambia —dice el Dr. Gordon en su oficina en Baltimore—. Uno no ve boxeadores de cincuenta y cinco años, no pueden lanzar puños con suficiente rapidez. *A menudo la lentitud se confunde con la pérdida de la memoria* —la bastardilla es mía—. Vemos personas de cuarenta o cincuenta años que se preocupan porque creen que les está dando demencia, a pesar de estar bien".

Existe la preocupación y también, *la preocupación*. Esta última no es del mismo tipo que el temor inequívoco del dolor en el pecho o del nódulo en el seno. Esta siempre se mina o se reviste con esa capita divertida de seudocomedia: se involucra, pero a la vez toma distancia; le encuentra un toque de gracia, pero a la vez está asustada y muy muy a la defensiva. Con el nódulo y el dolor en el pecho, se trata siempre de agentes malvados —los genes, el destino— que hacen su trabajo sucio en nosotros. Son funciones internas que nos traicionaron, que nos fallaron. Con la memoria, siempre hay esa terrible sensación de que nos estamos fallando a nosotros mismos. Así que nos molestamos y nos ponemos a la defensiva y volcamos la molestia hacia el interior o hacia el exterior.

Es entonces cuando las estrategias de autodefensa entran en acción. Se bromea: "¡Ya ni siquiera recuerdo cómo me llamo!". Se obra con astucia: si el tema de conversación incluye un nombre, o un hecho, o una noticia que se nos olvidó, se cambia de tema. Se culpa a los demás, una estrategia marital muy común, por ejemplo:

—¿Por qué no me dijiste que me habían telefoneado?
—Sí te lo dije.
—No, no lo hiciste.
—Sí, te lo dije anoche. Simplemente no te acuerdas.
—No me dijiste.

Claro está que cuando las quejas alcanzan cierto nivel de gravedad, muchas personas dejan de hablar de ellas. Como veremos pronto, las estrategias de autodefensa de los Preocupados Sanos a menudo difieren mucho de las que la gente usa cuando de veras tienen algo de qué preocuparse.

Se le ha dado mucha importancia a las "ayudas para la memoria", es decir, a toda esa variedad de suplementos alimenticios tales como vitaminas, hierbas y hormonas. Hasta donde tengo conocimiento, ningún estudio científico ha demostrado que alguno de estos productos ofrezca algún beneficio significativo en relación a la pérdida normal de la memoria. (Aunque hay un suplemento, como lo verá en el capítulo trece sobre memoria y dieta, que parece ofrecer una ayuda leve en personas que ya tienen demencia.) Pero no importa. Conozco personas que toman cosas para la memoria y juran que funcionan. En relación a esto estoy de acuerdo con lo que el gran sabio Sinatra dijo alguna vez, o se dice que dijo: que estaba a favor de cualquier cosa que le ayudara a pasar la noche. Siempre y cuando, añadamos de prisa, que no le haga daño a uno ni a nadie más.

Lo que nos lleva al tema del fumar y del beber. Los fumadores y bebedores empedernidos acostumbran asegurar que son incapaces de pensar sin sus venenos preferidos. Pero conozco muchos ex bebedores o ex fumadores empedernidos para quienes el veneno preferido de ayer, hoy pasó a ser puro veneno, y punto. Otro ex fumador cuya reacción fue igual a la mía, me dice:"Hubo una época en la que no podía pensar en lo absoluto sin mis cigarrillos y *sabía* que nunca sería capaz de hacerlo. ¿Qué te puedo decir? Ahora, el mero olor del humo del cigarrillo, el olor que solía aclararme la mente, me la nubla por completo".

Algunos fabricantes de "refuerzos para la memoria" aconsejan utilizar también ayudas mnemotécnicas, podría decirse que como un refuerzo para el refuerzo. Esto me parece muy divertido, porque me hace evocar un artículo que alguna vez escribí para una revista sobre diez dietas que estaban en boga en ese momento. En una dieta, que quizá era la más descabellada de todas, a la gente se le ponían inyecciones diarias, costosísimas, de una sustancia llamada hormona gonadotrópica. Se decía que era orina destilada de oveja hembra preñada, o algo por el estilo, y que garantizaba la desaparición de esas libras de más.

Ah, y a propósito, por cierto, además de las inyecciones la persona era sometida a una dieta de quinientas calorías diarias. Esto equivale más o menos a tres hojas y media de lechuga. Sin *duda* que las libras de más desaparecían.

Daniel L. Schacter, psicólogo de Harvard, dice que algunos productos anunciados como ayudas para la memoria pueden producir el mismo efecto de "alerta" temporal que una taza de café. Las ayudas mnemotécnicas son sencillas, funcionan por asociación como lo hace la memoria misma, y sirven más (también son más baratas). Voy a mencionar unas cuantas que han sido de utilidad para mis amigos y yo. Quizá usted ya las esté usando. Si no, ensáyelas. Ninguna lo sorprenderá por la fuerza de su inventiva, ¿pero, y qué? Funcionan.

¿Se le sigue olvidando dónde puso las llaves (los lentes, la billetera, etcétera)?

Ojalá que todos los problemas de la vida fueran tan fáciles de resolver: conságreles un *lugar*. Ponga un gancho en la pared, justo al lado de la puerta: ese gancho será el sitio sagrado de las llaves. Fije el gancho en estuco o madera; fije la asociación en cemento.

¡Es demasiado obvio! Sin embargo, los terapeutas de la memoria dicen que extraviar las llaves, o lo que sea, es una de las quejas más comunes del Preocupado Sano. Es casi —¿me atrevo a sugerirlo?— como si *quisiéramos* seguir extraviando las llaves para poder seguir quejándonos de la terrible memoria que tenemos. Una manía perversa del orgullo, tal como asegurar que uno tiene la peor migraña o la cicatriz quirúrgica más grande del condado.

¿Se le sigue olvidando tomar las pastillas? Haga fila.

Esta está relacionada con la memoria prospectiva que, como ya dije, funciona de dos maneras: basada en el tiempo (debo acordarme de tomar las píldoras a las 7:00 a.m. y a las 7:00 p.m.) o basada en hechos (debo tomar las píldoras con comida). Como los hechos basados en el tiempo son mucho más difíciles de recordar, el truco consiste en relacionar ambos. Un ejemplo: debo tomar una pastilla de calcio los domingos. A veces se me olvidaba. Ahora mantengo el frasco de pastillas en una mesa auxiliar que está junto a la poltrona en la que me siento a leer la prensa dominical. No se me volvió a olvidar.

¿Se le sigue olvidando apagar el horno o la estufa?

Después de quemar dos ollas y dejarlas inservibles, empecé a mantener un despertador en el escritorio en el que trabajo mientras cocino. (Si tiene una cocina con esas campanas y silbidos digitales sensacionales, usted lleva la delantera. Yo no estoy tan adelantada.) Por ahora, quemar esas dos ollas se me quedó grabado tan hondo en la memoria, que es posible que no me vuelva a pasar. Pero de todas maneras uso el despertador. Entonces puedo relajarme, bueno, más o menos, y concentrarme en el trabajo.

¿Se le olvida si le echó llave a la puerta (si cerró las ventanas, apagó las luces, le sacó la comida al perro)?

Haga la prueba con la asociación visual y use otros sentidos además: *véase* a sí mismo saliendo por la puerta, halándola para cerrarla y metiendo la llave en la cerradura (que está colgada justo allí en el gancho, ¿no es así?). Escuche el sonido del clic del cierre. Todo el ejercicio sensorial agudiza el poder de observación y mientras más observador sea uno, más factible es que recuerde.

¿Se le olvida para qué fue a la cocina (a la habitación, al escritorio, a la oficina de un colega)?

Si rehacer los pasos no da resultados, relájese. Olvídelo, por decirlo así. Puede que esto le ayude a recordarlo. Lo que sí puedo garantizar que *no* le va a ayudar es pararse allí a decir: "Maldición, maldición, maldición, *¿para qué vine aquí?*".

La memoria no se puede forzar: esta es la consideración que hace el Dr. Relkin de la Universidad de Cornell (de un modo convincente): "Cuando usted se esfuerza mucho por recordar algo, su nivel de ansiedad aumenta. Esto desencadena una serie de eventos en el cerebro que de hecho va en contra del recordar. Por esta razón, en parte, el recuerdo regresa más tarde cuando ya uno no lo está intentando. Cuando ya la adrenalina no está circulando y no hay tanto interés, la mente se relaja, las asociaciones fluyen con mayor libertad y la palabra o el nombre, o la razón por la cual fue a la cocina, aparece de repente en su memoria".

¿Tiene dificultad para memorizar números telefónicos?

Bueno, ¿quién no?, y de todos modos uno los tiene guardados en el teléfono celular, en el computador y hasta de pronto en alguno de esos medios antidiluvianos, como el papel.

Pero por el mero placer de recordar, y también porque el recuerdo genera más recuerdo, puede intentar lo siguiente: cree palabras, aunque no tengan sentido, con las letras que corresponden a los números del teclado del teléfono. El teléfono de mi hermano era 744-3926, nunca lo pude recordar hasta que lo reorganicé como *PIG EXAM*, que me resultaba inolvidable (lo de cerdo (*pig*) no tiene nada que ver con mi hermano).

O puede agrupar todos los dígitos. Una amiga, Norma Quine, que vive en una zona de Londres en la que los tres primeros dígitos son 422, utiliza la técnica del agrupamiento. "El número del club de tenis es 5266. Entonces lo memoricé diciendo, 5 más 2 es igual a 7, y 6 más 6 es doce. Entonces lo único que tengo que recordar es 7 y 12".

"Pero, ¿qué pasaría si lo descompones como 4 más 3 y 7 más 5?".

"Eso no sucede". La misma acción del ejercicio de agrupar, al parecer, le ayuda a uno a recordar los números correctos.

En cuanto a la queja preferida de todo el mundo: recordar nombres, esos malditos diablillos, a esa le dediqué todo un capítulo, el capítulo uno, *Saluda a Comosellame.*

¿Se le olvidan bloques de información importantes como el punto central de una reunión de negocios, de una noticia, de una consulta médica?

Repetición, amigo. Entre los expertos en memoria, esta es una palabra casi tan sagrada como *asociación*. Repita los puntos más importantes; tenga presente que repetirlos de manera espaciada, volviendo a ellos varias veces al día, funciona mucho mejor que intentar memorizarlos de un modo apresurado.

De nuevo, elaborar el recuerdo con la participación de los demás sentidos, siempre resulta útil. Escriba esos puntos de mayor importancia. Cada vez que los repase, léalos en voz alta. Formúlese preguntas sobre ellos.

¿Se le sigue olvidando hacer llamadas telefónicas, diligencias, pagar cuentas y cumplir citas?

Acostumbraba usar una de esas agendas de cuero inglés, muy chic, de cinco pulgadas por siete, que disponía cada semana en dos hojas, una frente a la otra y tenía unos cuadritos miserables para cada día. ¡No! Suponga que usted es un dentista. Cómprese uno de esos calendarios de escritorio, gordos, grandes y para nada elegantes, que le destina una página entera a cada día, y escríbalo todo. Todo; de inmediato, antes de que se le olvide. Si no solo es olvidadizo, sino que además es tan desordenado que da lástima, como yo (lo más probable es que no), esto con seguridad marcará un gran cambio en su vida. Lo juro.

¿Se le olvida lo que iba a decir o por qué lo iba a decir? (Oh, querido, *constantemente.*) Si tuviera una solución infalible, la embotellaría. Lo que trato de hacer, y creo que es lo que todos hacemos, es volver sobre los pasos de la conversación. A veces funciona, y a veces deriva en algo parecido a lo que sucedió anoche en la sala de mi casa:

—No recuerdo lo que empecé a decir. ¿De qué estábamos hablando?

—Bueno, me estabas diciendo cuánto te desagrada volar...

—No, antes de eso.

—Estábamos hablando de las vacaciones.

—No, antes de eso.

—No recuerdo.

—Pero te estaba contando una historia muy larga. ¿Por qué empecé a contarte esa historia?

—¿Por qué habría de saberlo? Era tu historia.

Por último, la estrategia infalible: las listas. En primer y último lugar y siempre: las listas. No se puede poner en una lista lo que a uno se le olvidó decir, pero sí se puede poner casi todo lo demás. Las listas: el mejor amigo de un lóbulo frontal que envejece.

A lo mejor esperamos demasiado de nuestros cerebros. Somos más generosos con nuestra espalda adolorida, nuestras muñecas con síndrome del túnel carpiano, respetamos su desgaste. ¿Pero valoramos la forma en que se han desempeñado los lóbulos frontales a lo largo de nuestra vida, manejando la infinidad de datos con que los hemos atiborrado? ¿Tenemos en cuenta que el hipocampo, ese centro maravilloso de la memoria, no solo se parece a un caballito de mar (de ahí su nombre), sino que trabaja sin parar como un caballo, como una bestia de carga? Un trabajo muy desagradecido.

Cuando hacen el trabajo bien no lo valoramos, pero cuando lo hacen mal —o sea no lo suficientemente rápido, no *cuando se necesita*— nunca nos detenemos a pensar: bueno, estas partes del cerebro han sido durante mucho tiempo modelos de servicio, o hasta de servidumbre, nunca se han quejado, por ello merecen un descansito de vez en cuando. Ni siquiera estamos hablando de unas vacaciones, sino solo del derecho, digamos, de hacer el trabajo más despacio, de hacer una pausa de vez en cuando, sin que entremos en pánico.

Por supuesto, algunos de los Preocupados Sanos de todos modos entrarán en pánico.

"Quizá la memoria de ellos no es tan buena como antes —dice el Dr. Gordon—, pero la diferencia no es mucha. Ellos solo *piensan* que sí lo es. Dicen: 'Soy tan olvidadizo, me debe estar dando Alzheimer'. Pero después usted los ve en un restaurante revisando la cuenta: 'Me cobraron 5.95 dólares por esta ternera a la parmesana y debían ser 5.50'".

"Ese menú debe ser de 1950", le digo al Dr. Gordon.

"Hablo de una ternera a la parmesana en Baltimore —responde él—, no en Nueva York".

CAPÍTULO DOCE

¿Entonces, cuándo *no* es normal?

O ¿QUIÉN ME ESCONDIÓ LAS LLAVES?

POBRE ALZHEIMER. No debe ser fácil descansar en paz a sabiendas de que todo el mundo nos lanza maldiciones.[7]

¡Alzheimer! Me acuerdo demasiado bien —todos recordamos demasiado bien lo que queremos olvidar con más urgencia— de la primera vez que escuché ese nombre.

Fue en 1982. Me agobiaba pensar en mi madre, una viuda que vivía en las afueras de Boston sin quejarse jamás de nada; pero era frágil y tímida, la vista y el oído le fallaban y por ser extranjera, su inglés, aunque aceptable, no era el mejor.

Cierta noche a las 3:00 a.m. se despierta, alcanza el vaso, y en vez de agua se toma el líquido para limpiar la dentadura, y entra en pánico. Cree que se ha envenenado.

Al amanecer, en Nueva York, recibo una llamada del médico de mi madre. Dice: "Ella estaba tan asustada que envié un auto de la policía para que la llevara a la sala de urgencias. Un psiquiatra dijo que ella ni siquiera pudo responder las preguntas más sencillas. Cree que puede ser Alzheimer, y permítame de-

---

7 Alois Alzheimer, 1864-1915, neurólogo alemán que diagnosticó por primera vez la enfermedad.

cirle que ojalá se equivoque, pasamos por esto con mi suegra y es la peor cosa que uno pueda imaginar".

Después de escuchar estas palabras tan alentadoras, me dirijo de prisa a Boston y entro llena de temor a la habitación de mi madre en el hospital. Allí esta, roja de vergüenza al verme, y por lo menos tan lúcida como yo.

"Bueno, tú me conoces, soy una miedosa —dice—, además, a media noche oigo que golpeaban la puerta y dos policías, como cosacos —nacida de judíos rusos nunca olvidó que sus padres la ocultaron cuando las tropas cosacas arrasaron su aldea—, me llevaron a una gran habitación y un médico me hizo un montón de preguntas extrañas.

Me pregunta: '¿Cuál es su número telefónico?'. Le respondo: 'No me acuerdo'. ¿Para qué debo recordarlo? ¿Cuántas veces me llamo a mí misma?

Luego me pregunta: '¿Quién ganó la guerra?' o '¿Dónde fue la guerra?' o algo por el estilo. Le respondo: '¿Cuál guerra?' Ha habido *tantas guerras*, cómo iba a saber a cuál se refería.

Después me pregunta: 'Mrs. Weinman, ¿dónde nació usted?' Entonces le contesté: 'No estoy segura'. A lo mejor pensó que yo estaba loca. Pero cariño, tú *sabes*, no estoy segura. Un día la llamaron Rusia, al día siguiente Polonia, y al otro, Rusia de nuevo".

La llevé a casa, me quedé dos días con ella y luego la llamé desde Nueva York para ver cómo estaba.

"¡Feliz de la vida!", dijo. Era cierto. Nada de Alzheimer.

Traigo a colación esta historia porque no conozco un ejemplo más claro, basado en la experiencia personal, del impacto de las emociones sobre la memoria, háblese del miedo, la ira o cualquier sentimiento negativo. ¿Era un problema de la memoria? No, en esencia. Fue un problema de las cuatro de la mañana, un problema de oído, de idioma, de cosacos, y ella pensó que podía morir y el miedo la hizo perder el juicio. Perder el juicio.

A veces detenerse a analizar el significado literal de un cliché resulta muy es aleccionador.

Además relato lo sucedido porque: el médico que la examinó era joven, inexperto, quizá estaba exhausto y tenía la misma hipersensibilidad que todos nosotros tenemos ante el espectro amenazante de la enfermedad de Alzheimer. Era fácil hacer un diagnóstico mecánico: *¡No se sabe su propio número telefónico? ¡Bingo! ¡Alzheimer!*

Esto nos trae al asunto de lo chic.

La enfermedad de Alzheimer es —por favor entiéndame y no me vaya a escribir cartas airadas, no estoy usando la palabra de un modo frívolo— es chic.

El fenómeno de lo chic, por supuesto, pasa en la medicina como en todo lo demás. Por allá en los años sesenta, en la época del Dr. Christiaan Barnard, el cirujano surafricano que hizo el primer transplante de corazón, la cirugía coronaria era chic.

En la década de los setenta, en el apogeo y periodo subsiguiente a los Masters y Johnson (los nombres de pila no son necesarios; si esta combinación no le suena conocida, usted está demasiado joven para este libro), la terapia sexual era chic.

En los ochenta y los noventa fue el SIDA, y el SIDA, solo Dios sabe, todavía es un problema muy grande, aunque ya no es chic. Nuestros instintos son generosos, pero nuestra capacidad para mantener la atención es escasa.

Alzheimer. Hace apenas veinte años la mayoría de nosotros sabía poco o nada sobre el tema, muchos ni siquiera habíamos oído ese nombre. ¿Cómo pasó de ese extremo al otro?

En parte por los esfuerzos masivos y bien financiados de la Fundación Estadounidense del Alzheimer y otras organizaciones similares. En parte fue la saga digna y triste de Ronald y Nancy Reagan que entró en nuestras vidas a través de la televisión. En parte fue, y es, la vieja historia de seguirle el rastro al dinero: el gobierno tiene un enorme interés en apoyar la investigación sobre el Alzheimer porque este le cuesta una fortuna. Los pacientes tienen que ser internados en casas de reposo, esto agota los recursos familiares y *Medicaid* tiene que entrar en acción. En cuanto a las compañías privadas, entre los costos de los seguros y el ausentismo laboral de las personas encargadas de cuidar al enfermo, la cuenta anual sobrepasa los sesenta millardos de dólares. En general, esta enfermedad le cuesta a la nación cerca de ciento cincuenta millardos de dólares anuales.

Pero básicamente esta es la historia de una generación: la de los setenta y ocho millones de individuos nacidos durante el *baby boom,* entre 1946 y 1964.

Tres millones y medio de ellos, incluyendo a Bill Clinton y a George W. Bush, nacieron en ese primer año. Estaban en pañales cuando la televisión también lo estaba; en la adolescencia cuando John F. Kennedy fue elegido; tenían veintitantos años cuando Woodstock estalló en un éxtasis tribal; treinta y tantos cuando John Lennon fue asesinado; cuarenta y tantos cuando Ronald Reagan declaró que tenía la enfermedad de Alzheimer y cincuenta y cuatro cuando el nuevo milenio llegó, ya a estas alturas, muchos de ellos se quejaban de que recordaban menos.

Ahora estos primeros *boomers*[8] tienen un poco más de sesenta años y los más jóvenes siguen llegando para unirse al coro de quejas.

En años recientes, los artículos de portada en las revistas periodísticas de mayor importancia han reportado que la enfermedad de Alzheimer es en la actualidad *la* mayor preocupación de salud de la generación del *baby boom.* ¿Se trata tan solo de una de las exageraciones de costumbre de los artículos de portada de las revistas periodísticas? Es difícil decirlo, pues la evidencia es más que todo anecdótica. Pero esto fue lo que me dijo el Dr. Richard E. Powers, director del comité asesor científico de la

---

8 N.T.: *Boomer:* individuo que pertenece a la generación del *baby boom.*

Fundación Estadounidense del Alzheimer, que sabe tanto sobre esta enfermedad como cualquier otro experto en el país:

"Sin duda, lo creo. Mire el perfil psicológico de la generación del *baby boom*, y yo soy uno de ellos, le dan mucha importancia a la juventud. Esta es la generación que quería ser por siempre joven, y ahora están descubriendo que esto es imposible. El Alzheimer es la enfermedad más temida por nuestra generación porque está relacionada con la autonomía y la independencia y porque, y esto se lo puedo asegurar tras haberles dado miles de conferencias a los *boomers* sanos, porque lo *principal* para ellos es aferrarse a sus mentes".

El Dr. Powers tiene cincuenta y seis años. ¿Tiene problemas de memoria?

Risas, apagadas. "Estuve recientemente con un grupo de médicos, todos como de mi edad, y todos nos estábamos riendo de los cambios que notábamos. Cuando teníamos veinticinco y treinta y cinco años podíamos leer un artículo científico una sola vez y retenerlo todo. Ahora tenemos que leerlo varias veces.

Hace algunos años empecé a olvidar los nombres. Esto no significa que tenga demencia; solamente significa que tengo cincuenta y seis años y que mi habilidad para retener nueva información no es tan buena como antes. Sabe usted, la tira matamoscas en el cerebro es como la tira matamoscas que ha estado durante mucho tiempo sobre el mostrador. Todavía se le adhieren muchas cosas, pero no tanto como al principio".

El síndrome "Debe ser Alzheimer" afecta incluso a los hijos de la generación del *baby boom*. Mientras escribo estas palabras, recuerdo una conversación reciente con mi higienista dental, ella fue la que habló casi todo el tiempo porque mi boca estaba ocupada en otra cosa.

YO: ¿Cómo está su memoria? (Una pregunta que le formulo, en estos días, a prácticamente toda la gente que conozco).

EVELYN: Terrible. Siempre ha sido terrible. He oído que es más probable que la gente que siempre ha tenido mala memoria sufra la enfermedad de Alzheimer. ¿Es esto cierto?

YO: No.

EVELYN: ¿No? ¿De verdad? Bueno, es un alivio saberlo. Es que esto me preocupa. Es decir, no es una preocupación *constante*. Pero a veces no me cabe duda de que me va a dar porque mi memoria es muy mala. Sí... *(entre tanto raspa con mucho empeño un trozo de placa en mi boca).* De veras me preocupa.

Evelyn tiene treinta y ocho años.

El principal factor de riesgo de la enfermedad de Alzheimer es la edad. Ni la inteligencia, ni el estilo de vida, ni los genes —aunque, como veremos pronto, todos parecen desempeñar un papel— sino la edad.

"Antes, relativamente pocas personas alcanzaban a llegar a los cincuenta años —dijo Barry Gordon, neurólogo de Johns Hopkins—. Ahora que se han superado tantas enfermedades infecciosas, que la enfermedad cardíaca tiene mayores opciones de tratamiento y que las exigencias de desempeño en nuestra cultura son tan altas, el gran temor de mucha gente no es caer redonda de un infarto. Es el Alzheimer".

El Dr. Yaakov Stern, que también es el director de neuropsicología en el Centro de Desórdenes de la Memoria del Instituto Psiquiátrico del Estado de Nueva York, añade: "Solíamos ver menos casos de Alzheimer porque la gente se moría antes de estar realmente en riesgo. Ahora habitamos un mundo en el que cada vez más gente vive más tiempo. Así que de repente, a lo largo de los últimos veinte años, el problema ha estallado de verdad".

Pregunto: "¿Sugiere usted que, si viviéramos el tiempo suficiente, todos terminaríamos con Alzheimer?"

"¡No! Lo que digo es simplemente que el porcentaje de gente que la padece aumenta a medida que se avanza en edad".

"Bueno, si ustedes los científicos van a seguir encontrando formas para hacernos vivir más tiempo, más les vale encontrar alguna manera de curar esta enfermedad".

"Sí —dijo el Dr. Stern—, ese es el problema".

★   ★   ★

Y para nosotros, los Preocupados Sanos, surge la gran pregunta: ¿cuándo se trata de lo normal, es decir de la pérdida de la memoria correspondiente a la edad, y cuándo se trata (posiblemente) de algo más?

Puede que al principio la diferencia entre ambas no sea mucha en cuanto a los síntomas, y esto es lo que enloquece de preocupación a la gente normal. Pero desde la perspectiva fisiológica, la diferencia es considerable.

La pérdida normal de la memoria aparece porque el cerebro comienza a encogerse, la irrigación sanguínea comienza a disminuir, y los neurotransmisores comienzan a hacer menos eso que hacen (sea lo que sea)... Y ¿por qué se sorprende? Tenemos la tendencia a no querer creer que entre el hueso del cerebro y el hueso de la rodilla no hay ninguna relación, pero estas cosas pasan de un modo tan natural como el debilitamiento de la vista, la fragilidad ósea y la flacidez de la parte superior de los brazos. Si tiene la suerte de llegar a ser longevo, estas cosas vendrán como consecuencias lógicas de la edad, para casi todo el mundo. (Excepto por la flacidez de los brazos que, al parecer, ¡maldición!, tienen cierta especificidad de género. El mío.)

La enfermedad de Alzheimer aparece por un patrón definido de cambios anormales que se llevan a cabo en el cerebro. Las neuronas se enredan de tal modo que ya no pueden transmitir impulsos. Se acumulan depósitos de una proteína llamada amiloide y forman una placa. Esta bloquea el tráfico de igual manera que otro tipo de placa puede bloquear la circulación en las coronarias. Obstruye todo el funcionamiento y provoca en última instancia la muerte del tejido cerebral.

No se sabe más sobre del Alzheimer que lo que se sabe.

No se sabe cómo diagnosticarlo con métodos clínicos confiables, como, por ejemplo, una tomografía cerebral o un examen sanguíneo.

No se sabe a quién le dará.

No se sabe por qué por lo menos dos tercios de las víctimas son mujeres (¿sorprendido?, a mí me dejó atónita), aunque una respuesta, al menos parcial, radica en el hecho de que las mujeres son más longevas. También en que a las mujeres les da más dificultad controlar la diabetes, la obesidad y el colesterol alto, tres factores de riesgo del Alzheimer.

Además, como la mayoría de nosotros sabe, en la actualidad no se conoce ninguna cura. Hay algunas esperanzas en el horizonte, como veremos más adelante. A pesar de los avances recientes, aún no se cuenta con un examen médico plenamente confiable y por lo tanto no se puede tener la certeza absoluta de un diagnóstico correcto. (Póstumamente, sí, con una autopsia. Vaya consuelo.)

Pero hay algunos criterios generales, afirma el Dr. Stern: "Hacemos una serie de exámenes que incluyen pruebas de memoria y de lenguaje, acertijos, pruebas de habilidad espacial y de razonamiento. Buscamos un patrón de deficiencias típicas del Alzheimer en su estadio inicial, y tomamos la decisión. Casi siempre acertamos. La pregunta es: ¿cómo tomar esa decisión frente a problemas más leves? Usamos estándares que muestran el desempeño esperado a determinada edad, ajustados por género, educación y demás. Alguien puede tener un deterioro que

no se reflejará como un mal puntaje con respecto a los estándares, porque hace veinte años comenzó a partir de una línea
base de habilidades muy superior, pero hace veinte años no lo
conocíamos. Este tipo de cosas dificultan nuestro papel al hacer
un diagnóstico diferencial".

Si alguien obtiene un puntaje significativamente por debajo del promedio y se ha quejado (u otros se han quejado de
él), pero aún puede desempeñarse bien en la vida cotidiana,
el diagnóstico es *deterioro cognitivo leve*. Puede permanecer leve,
o avanzar hasta Alzheimer, o incluso mejorar. Es el típico: "el
tiempo lo dirá".

Para los Preocupados Sanos, también hay criterios generales.
En esto, como en muchas otras cosas, es básicamente cuestión
de grado. Por ejemplo, uno regresa a casa después de un día de
mucho trabajo en la oficina y alguien pregunta: "¿Te acordaste
de comprar la leche?". Uno se da una palmada en la cabeza,
chasquea los dedos, o hace cualquier otro gesto para expresar
que lo lamenta, y dice: "¡Huy! Se me olvidó". Nada de que
preocuparse.

Por otro lado, si usted dice: "¿Qué leche?", y si esto pasa cada
vez con más frecuencia, la historia puede ser otra.

"Puede ser un juicio difícil de emitir para la persona misma
—dice el Dr. Stern—. Alguien más diría: 'Él cree que está bien,
pero está cometiendo errores. En realidad no está manejando
bien las cosas...'. Esto es un comentario muy revelador. Pero
creo que, en el nivel de los criterios generales, lo más importante es que uno mismo se dé cuenta de que simplemente no
puede hacer cosas que antes hacía con facilidad. Muchos de
nosotros decimos: 'Ay, mi memoria no es tan buena como solía
ser...'. Pero por lo general, lo que mueve a la gente a ir a la
consulta es algún acontecimiento específico".

"¿Cómo qué?"

¿ES NORMAL?

Probablemente normal	Probablemente inquietante
• A menudo olvida dónde pone las cosas.	• Constantemente olvida dónde pone las cosas y a veces culpa a otras personas.
• Olvida cuáles son los planes sociales y pregunta: "¿Qué es lo que vamos a hacer esta noche?".	• Una hora más tarde, vuelve a preguntar.
• De vez en cuando olvida dónde estacionó el auto.	• A menudo olvida dónde estacionó el auto y a veces olvida una ruta que le es familiar.
• Le dice a todo el mundo que tiene una memoria terrible.	• Otras personas se quejan de su memoria; usted tiende a preocuparse en silencio.
• Algunas veces olvida cumplir citas, hacer diligencias, hacer llamadas, tomar pastillas.	• Estos olvidos son cada vez más frecuentes.
• A veces no recuerda qué comió la noche anterior.	• No recuerda gran parte de lo que hizo el día anterior.
• Sabe que tiene algo de pérdida de la memoria pero puede manejar su vida como le place.	• La pérdida de la memoria interfiere en su vida cotidiana.
• Olvida los nombres de las personas que acaba de conocer.	• Olvida los nombres de amigos y parientes cercanos.
• La gente a veces le dice: "Ya me habías dicho eso".	• A menudo, y sin darse cuenta, se repite a sí mismo.
• Le resulta más difícil que antes realizar varias tareas a la vez.	• Simplemente es incapaz de hacerlo.

"Alguien comete un error grave en el trabajo. Los hijos van a visitar a los padres y ven que las cuentas están sin pagar; que la casa está sucia y descuidada. La madre, que acostumbraba hacer comidas deliciosas, ya no las hace, no por falta de interés, sino por incapacidad. Las compañeras de *bridge* se quejan". Este es un ejemplo excelente, porque el *bridge* es una destreza de alto nivel cognitivo. Uno escucha cosas como esta: "Mis compañeras de *bridge* ya no juegan más conmigo. Dicen que me equivoco demasiado".

Metaconocimiento: Es la percepción propia de las habilidades de uno mismo. Si uno tiene quejas sobre su memoria y el resultado de los exámenes (*si* se los hace; dado que no hay una cura, tal vez sea mejor no hacérselos) es normal, el problema puede ser uno de estos:

1. Usted tiene muchas más cosas que hacer que antes.
2. Al principio, cuando estaba más joven, tenía una capacidad cognitiva por encima del promedio; ahora el tiempo se está poniendo al día con usted.
3. Usted simplemente no está acostumbrado a la pérdida común y silvestre de la memoria.

Su memoria puede estar bien. No es tan buena a los cincuenta como lo era a los treinta, pero la gente alrededor suyo la considera lo suficientemente buena. Pero esa no es *su* percepción.

"Sabe usted —dice Gayatri Devi, neuróloga de Nueva York—, hay una gran diferencia entre un cerebro que funciona al cien por ciento y un cerebro que funciona al noventa y cinco por ciento. Una enorme diferencia. Mucho más grande, que la diferencia entre un cerebro que funciona al cincuenta por ciento, y uno que funciona digamos al treinta por ciento, *desde el punto de vista de la autopercepción de un individuo*" (la bastardilla es mía).

Más atrás sugerí que la mayoría de nosotros somos lo bastante perversos como para disfrutar lamentarnos de nuestros olvidos sin cesar. Mientras digamos este tipo de cosas: "¿Y tú crees que tienes problemas de memoria? Déjame decirte lo que yo…", es probable que no haya nada de qué preocuparse. Pero, dice la Dra. Devi, que cuando la persona siente que tiene un problema real tiende a dejar de hablar sobre ello, con toda seguridad deja de bromear al respecto y en cambio, comienza a tratar de ocultarlo, incluso de sus familiares cercanos.

Las personas que acostumbraban ser locuaces pueden retraerse, lo que puede dar la impresión de que están deprimidos, y es posible que lo estén, por supuesto, porque la memoria en la que solían confiar les está fallando. Pero también puede darse el caso de que dejen de hablar solo por temor a usar la palabra equivocada o a decir algo estúpido. O pueden desarrollar lo que la Dra. Devi denomina una personalidad de cóctel.

"Pueden sostener con uno una conversación insignificante, sin ningún dato, para que uno no perciba que tienen un problema. Aprenden a hablar durante horas sin tener que dar ninguna información".

Además está el juego de la culpa, una estrategia importante para cubrir el rastro. Fue la Dra. Devi la que describió el clásico diálogo entre una pareja de casados:

—Te *dije* que esta noche íbamos a salir.

—¡No, no me dijiste!

—¡Sí, sí te lo dije!

—¡No, no me lo dijiste!

Pero cuando hay una preocupación grave, el juego de la culpa deja de ser una estrategia. La transformación puede ir desde: "No puedo recordar dónde dejé las llaves", a: "¿Quién me cambió las llaves de lugar?", y luego, posiblemente hasta: "*¿Por qué me escondiste las llaves?*".

Lo que sintetiza bastante bien las diferencias entre la pérdida normal de la memoria, el deterioro cognitivo leve y la demencia.

Entre los temas más discutidos en la actualidad en la investigación de la memoria es cómo hacer una detección temprana del Alzheimer.

"Una temprana *detección* temprana. ¿Podemos identificar el problema antes de que sea grave? En este momento esta es la meta que los investigadores se fijaron", dice el Dr. Stern.

"¿Por qué ahora más que antes?".

"Porque los medicamentos que tenemos no mejoran la patología. Solo impiden que el deterioro de la persona sea muy rápido. Pero ahora existe la posibilidad cercana de que habrá medicamentos que ataquen la causa de la enfermedad para bloquearla en sus estadios iniciales, antes de que tenga oportunidad de producir mucho daño. El deterioro cognitivo leve: este es el problema que están promocionando las casas farmacéuticas ahora con la idea de que una intervención temprana puede detener el avance de la enfermedad".

Confieso que desconfío que esta idea de las casas farmacéuticas de una intervención temprana pueda ser más bien sinónimo de mayores ventas, pero claro, esta industria no me inspira nada de confianza.

Otro tema que está siendo muy discutido es el estudio de personas de edad que tienen la memoria intacta. Esas que se desplazan con suavidad por los ochenta y noventa años escasamente con un Comosellame. Es casi innecesario decir que el número de estas personas es muy bajo; ojalá que la tribu aumente.

¿Por qué son capaces de llevar la delantera por tanto tiempo? Bueno, *porque sí*. Porque a pesar de nuestra magnífica retórica democrática no hay dos cerebros iguales. Tal como los deportistas innatos, algunas personas pueden nacer con una ventaja neurológica, con más destrezas innatas para recordar. Algunas personas pueden tener genes que les brindan un margen extra de protección contra la demencia.

Pero cada vez parece ser más evidente que las diferencias ambientales también desempeñan un papel importantísimo.

El Dr. Stern habla del concepto de "reserva cerebral" —algunas personas tienen cerebros más grandes, más neuronas— y de su propio concepto de "reserva cognitiva". Piense en una especie de fondo de cobertura mental. Los genes, el coeficiente intelectual y las experiencias de vida como el nivel de educación, el tipo de ocupación, la dieta, las actividades recreativas, los redes sociales, el ejercicio físico y mental, todo esto, al parecer, enriquece el fondo de cobertura.

"Cuando el daño cerebral se presenta, el cerebro no se queda simplemente quieto, asumiéndolo —dice el Dr. Stern—. Trata de compensar el daño; hace su mejor esfuerzo por enfrentarlo. Vemos dos personas con la misma cantidad de daño cerebral, a pesar de esto una de ellas parece demente y la otra parece normal. Esta última es la que tiene una reserva cognitiva mayor. Mientras más grande sea la reserva cognitiva, más fácil será para el cerebro enfrentar el daño".

Con base en el uso de tomografías cerebrales, el equipo de investigación del Dr. Stern ha encontrado que algunas personas utilizan vías neuronales diferentes a las que utilizan otras para resolver el mismo problema, y lo resuelven de un modo más eficiente. Al parecer, aquellas experiencias de vida que contribuyen a la reserva cognitiva de hecho pueden alterar la forma como funciona el cerebro, permitiéndole trabajar con mayor eficiencia y flexibilidad. Ahora están diseñando un estudio para aprender más acerca del funcionamiento de la reserva cognitiva, y cómo puede ser mejorada. *Eso* es lo que yo llamo un fondo de cobertura sin riesgos.

En el Hospital Mount Sinai de Nueva York, el Profesor Jeremy Silverman lidera un equipo que estudia personas de más de noventa años "los viejos más viejos" que conservan casi todas sus capacidades mentales: los "intactos" desde el punto de vista cognitivo, como los llaman en el medio. Están analizando estas aves raras desde la perspectiva genética y del entorno.

Se han identificado cuatro genes en relación al Alzheimer. Tres de ellos son escasos y pueden llevar a padecer la enfermedad desde edades muy tempranas, incluso entre los treinta y cuarenta años, no es necesario que aquí nos ocupemos de estos. El cuarto se denomina la apolipoproteína E. Es común, y también viene en tres presentaciones, igual que los genes que determinan el color de los ojos, como anota de manera útil el Dr. Silverman, que vienen en tres presentaciones como café, azul y color avellana.

Estas tres presentaciones se designan E2, E3 y E4. La más escasa es la E2, por desgracia, pues existen algunas evidencias de que protege contra el Alzheimer. Se presenta en cerca del ocho por ciento de la población. E4, el gen asociado con el riesgo más elevado, se encuentra en cerca del dieciocho por ciento. Los genes, por supuesto, vienen en pares, uno de cada padre. El sujeto que tenga un par de genes E3, o un gen E3 y un E4, tendrá menos riesgo que uno que tenga un par de genes E4.

El equipo de Silverman está estudiando una población específica en Costa Rica, un grupo de familias con varios miembros, por encima de noventa años, que tienen funciones cognitivas intactas. Solo el dos por ciento de estos ancianos parecen tener el gen de riesgo elevado. El Dr. Silverman afirma que hay una mayor probabilidad de que también los parientes de estos tengan menos riesgo.

Pero nada de esto tiene como fin sugerir que el factor genético tiene tanto peso en el Alzheimer como lo tiene, por ejemplo, en la enfermedad de Huntington, que es fuertemente hereditaria.

Si uno tiene un par de genes E4, pero goza de buena salud, no necesariamente termina con Alzheimer. Por otro lado, un par de E2 no serán de mucha ayuda si uno también sufre de hipertensión, tiene elevado el colesterol o es obeso —todos factores de riesgo— y no acata las órdenes médicas.

(De hecho, un número asombroso de estadounidenses no acata las órdenes médicas. "Somos una nación que no sigue las reglas —afirma el Dr. Richard Powers de la Fundación Estadounidense del Alzheimer—. Cerca del cuarenta y seis por ciento de los diabéticos se toma los medicamentos como es debido. Solo el cuarenta por ciento de los hipertensos se los toma de manera correcta, el veinte por ciento se los toma a veces y el cuarenta por ciento no se los toma".)

Descuidar un trastorno como la obesidad alrededor del abdomen, que parecería no tener ninguna relación con la función cognitiva, es sin duda buscarse problemas. "La gente cree que la obesidad es una especie de maleta que nos cubre por fuera—dice el Dr. Powers—. Pero esa grasa está también en el interior, pegada a nuestros órganos y está cambiando la química corporal en maneras que pueden ser nocivas para las células cerebrales".

Al ver que estamos ligados sin remedio a nuestros genes, usted se preguntará, como lo hice yo, ¿para qué sirve explorar la constitución genética de un montón de nonagenarios extraordinariamente intactos? "Ah, pero mientras más se conozca qué genes brindan protección contra la demencia, mayor es la probabilidad de que estos nos lleven a encontrar formas de intervenir, píldoras o dietas o cualquier otra cosa, que hagan por la gente lo mismo que hacen los genes buenos", dice el Dr. Silverman.

Al mirar hacia el futuro, algunos especialistas no están muy convencidos de ver una cura para la enfermedad de Alzheimer aparte de medicamentos cada vez más efectivos para controlarla y retrasar su avance. Pero muchos otros ven una auténtica solución milagrosa, algo que atacará de raíz la causa del mal.

En el horizonte cercano hay varios enfoques que podrían proporcionar esa solución milagrosa. Los científicos le están apuntando a la amiloide, la proteína que se acumula en placas y que lleva a sufrir la enfermedad de Alzheimer. Los genes pueden hacer que un individuo sea propenso a desarrollar dichas placas y los científicos están experimentando con drogas que bloqueen esta acción. Están explorando formas que desarrollen el sistema inmune para que se defienda contra el amiloide. Están desarrollando anticuerpos que se peguen a esta proteína y pueden ayudar a sacarla del cerebro.

"Hay una suposición de que con el tiempo habrá un tratamiento —dice el Dr. Stern—. Creo que quizá, dentro de cinco años, se harán ensayos clínicos activos".

Sería un cambio radical. Lo que tenemos ahora es, de cierto modo, lo que teníamos respecto al cáncer hace un cuarto de siglo antes de la llegada de las intervenciones tempranas y de los tratamientos de alta efectividad. Muchos de nosotros podemos recordar la época en que el cáncer era tan aterrador que nadie hablaba del tema y si acaso había un caso en la familia se mantenía en secreto como algo vergonzoso. Una solución milagrosa para la enfermedad de Alzheimer haría desaparecer, de la noche a la mañana, esa enorme carga de temor y ansiedad de la generación del *baby boom*. Porque, después de todo, lo que hace que la enfermedad sea tan aterradora no es la enfermedad en sí, sino el que sea incurable.

Por último, llegamos al lado del asunto que tiene relación con el entorno. La profesora Michal Beeri trabaja este aspecto en las investigaciones de Mount Sinai. Al discutir las razones por las cuales el Alzheimer ataca más que todo a las mujeres, incluyendo la susceptibilidad de estas a sufrir enfermedades de alto riesgo como la diabetes y la hipertensión, ella trajo a colación el problema del estrógeno:

Las mujeres dejan de producir estrógeno después de la menopausia. Los hombres lo siguen produciendo en la testosterona aunque en cantidades cada vez más bajas a medida que envejecen. Se cree que unos niveles bajos de estrógeno son otro de los factores de riesgo del Alzheimer. (Pero, ¡ojo! No hay pruebas de que la terapia de reemplazo hormonal sirva de protección.)

Además la Dra. Beeri puso sobre el tapete otra teoría que se relaciona con los partos:

Mientras más hijos tenga una mujer, menor es su nivel de estrógeno. Así que podría ser que una mujer que haya dado a luz varios hijos tenga algo más de riesgo. Lo que *no* quiere decir que una mujer que haya tenido muchos hijos deba asustarse, o que una mujer que desea tener muchos hijos no deba tenerlos. Solo significa que uno de los tantos factores de riesgo en este complejísimo panorama pueden ser los partos múltiples, y a lo mejor ni siquiera se deba a los niveles bajos de estrógeno sino a alguna otra razón completamente diferente, tal como la posibilidad de que tener más hijos genera más estrés y el estrés por sí solo es un factor de riesgo conocido. Como dije antes, no se sabe más de lo que se sabe.

En cualquier caso, nada de lo anterior ocupa una posición cercana a los tres mayores factores de riesgo que son:

1. Edad
2. Género
3. Educación

En cuanto a la edad: bueno, es un trueque. Si uno muere joven, tiene menos riesgo de padecer la enfermedad. Por mi parte, asumiré el riesgo gustosa.

En cuanto al género: bueno, no hay nada que hacer al respecto. Pero las mujeres pueden hacer mucho para controlar esos otros factores como la obesidad, el colesterol y la diabetes que las ponen en mayor riesgo que los hombres.

En cuanto a la educación: el Dr. Stern recuerda que alguna vez el editor de la revista *Seventeen*, se puso en contacto con él, estaba interesado en publicar un artículo sobre la reserva cognitiva. "Bueno, yo estaba confundido. Lo único que sabía de la revista *Seventeen* era que mi hija de catorce años ya la había superado. Así que le pregunté: '¿Por qué está interesado en la reserva cognitiva?', y el editor me respondió: 'Por el mensaje: *¡Quédese en el colegio!*' ".

Muchos estudios han asociado la educación con el Alzheimer, pero el Dr. Stern tiene una estadística que me dejó perpleja: "En nuestro estudio, la gente con menos de ocho años de educación tiene el *doble* de riesgo de sufrir la enfermedad".

Pero, por supuesto, no es solo la educación. Es toda una mezcla de cosas. La gente que tiene menos educación por lo general tiende a tener menos estabilidad económica; a trabajar en empleos con menos retos mentales; a recibir menos estímulo mental; a hacer menos ejercicio físico; a tener menos actividades recreativas, pasatiempos sociales y culturales; en resumen, tienden a tener menos de todos esos beneficios de clase media que nutren la reserva cognitiva.

Dice la Dra. Beeri: 'Cuando doy conferencias, le digo a la gente: 'Cuiden el nivel de colesterol. Controlen el peso. Tómense los medicamentos con rigor. Mantengan la actividad mental. Mantengan la actividad física. Mantengan la actividad social'. Sé que ninguna de estas es muy difícil de cumplir. Pero júntelas y es muy probable que usted logre disminuir el riesgo de padecer la enfermedad de Alzheimer.

Siempre hago énfasis en el factor social. La importancia de leer, por ejemplo, no parece muy complicada. Es como activar un músculo. Pero cuando se habla de mantener una red social, es mucho más complejo".

¿Por qué tener una red cercana de amigos y conocidos habría de proteger contra la demencia? ¿Porque el amor le hace bien al cerebro? ¿Porque si uno tiene personas con quien conversar a diario y no está tan solo, eso le hace bien al cerebro? ¿Porque si uno se mantiene en contacto con los demás, ellos se preocupan por su salud y lo mandan a ver al médico cuando lo vean en problemas?

No sabemos. Pero en mis conferencias, digo: 'Escuchen, señores, ¡hagan amigos! ¡Mantengan viva la vida social! ¡Porque les hace mucho bien!' ".

¿Vieron, amigos?

★ ★ ★

P.D. Ah, y en cuanto a mi madre: vivió cinco años más después de ese diagnóstico tentativo de Alzheimer, hasta los ochenta y seis años. Si yo todavía estoy viva cuando tenga ochenta y seis años, y cuento con una memoria tan aguda como la de ella… Bueno, ese es mi deseo para todos nosotros.

CAPÍTULO TRECE

Para usted es alimento para el cerebro; para mí, solo espinaca

LA DIETA Y LA MEMORIA

—Sabes —dijo ella—, mi memoria ha mejorado mucho desde que descubrí esta poción mágica.

—¿Qué poción mágica? —pregunté.

—Ginkgo biloba.

—Bromeas.

—¿Cómo así que bromeo?

—Bueno, se ha rebatido bastante.

—¿*Quién* lo ha rebatido?

—Muchas investigaciones lo han demostrado.

—Me tienen sin cuidado las *investigaciones*. Estoy hablando de mi *experiencia personal*.

A estas alturas cualquier tonto habría desistido. Eso fue lo que yo no hice.

—Solo digo que no hay una evidencia concluyente.

—Eso es lo que *tú dices* —dijo ella.

Y ESO FUE TODO. Terminamos de almorzar y ella se despidió de mí de un modo apático; desde entonces ha estado molesta conmigo, y en realidad no la culpo. Uno no puede ser un aguafiestas. Uno no critica la poción mágica de otra persona. Es como criticar el médico, la madre o, Dios no lo permita, la religión del otro. Terreno sagrado. No pise la grama. Ni siquiera *piense* en hacerse aquí.

Cuando se trata de la fe en un remedio que todo lo cura, la investigación no cuenta para nada. La fe es lo que cuenta. Es como esa frase inmortal que pronunció hace mucho un miembro de la dinastía de cosméticos Revlon: "Lo que vendemos —dijo— es esperanza". Ellos la venden, nosotros la compramos.

Si le echa un vistazo, así sea superficial, a esos sitios de autoayuda en la Red, encontrará listas interminables de sustancias comestibles; para cada una habrá alguien que jure que es el mejor refuerzo que existe para la memoria.

Una lista breve: extracto de semilla de castaño de Indias (quizá lo reconocerá más fácilmente por el nombre en latín *Aesculus hippocastanum*), equinácea, palma enana americana, ginkgo biloba, boro, cimicifuga, hierba de San Juan, cardo santo, hierba de cabra en celo, ginseng, prímula, valeriana… Y avanzando hacia un territorio menos exótico, llegamos a la alfalfa, las leguminosas (fríjol rojo, fríjol lima, soya), el aceite de linaza, el té verde, el jugo de uva, el chocolate, la goma de mascar, el fenogreco, la lavanda, el jugo de granada, los arándanos, el jengibre, la alcachofa, la zanahoria, el repollo, la auyama, el ajo y el polvo de ajo, los ácidos grasos omega-3, el ácido clorhídrico, el hierro, las algas marinas, el extracto de regaliz, el níquel, el extracto de corteza de pino, el trébol rojo, las semillas (de girasol, sésamo, linaza, auyama), un montón de vitaminas (las más populares la C, la E y la variedad de las B), una gran cantidad de minerales, innumerables infusiones de hierbas… Y demás. Si omití una, no vaya a enviarme una carta indignada. Por razones de espacio no puedo. Además, si la lista tiene fin, no pude hallarlo.

Puede ser que todos estos elementos ayuden a la memoria. Muchos contienen antioxidantes y se dice que estos ayudan a proteger las células cerebrales contra el daño, por ello la gente asume, con toda la razón, que son buenos para la memoria. Nadie puede probar que no lo son. Pero hasta ahora, nadie ha probado que lo sean.

Así que la pregunta es esta: ¿Hay algo que podamos ingerir que esté comprobado que ayuda a la memoria?

He aquí la respuesta: "Básicamente no existen pruebas sólidas de que haya factores alimenticios que ayuden a conservar la memoria".

Ay.

La pregunta fue mía. La respuesta fue del Dr. Meir Stampfer, profesor de epidemiología y nutrición de la Escuela de Salud Pública de Harvard.

Luego agregó un gran *pero*: "Pero lo que resulta más prometedor es la evidencia que muestra una relación entre la enfermedad vascular y la demencia. Las dietas asociadas a un menor riesgo de enfermedad vascular también están asociadas a un menor riesgo de demencia. Si uno ingiere una dieta saludable para el corazón también está ingiriendo una dieta saludable para el cerebro".

Todos lo dicen. Todos lo dicen, extrañamente, del mismo modo. Le planteo la misma pregunta al Dr. William Jagust, profesor de salud pública y neurociencias de la Universidad de California, Berkeley. Respuesta: "Hay una cantidad abrumadora de evidencias que señalan que la dieta saludable para el corazón también lo es para el cerebro. No se sabe con claridad el por qué. La explicación más sencilla es que el cerebro recibe suministro de los vasos sanguíneos y cualquier cosa que uno haga por estos en última instancia beneficiará al cerebro. Dudo que sea así de sencillo. Pero sea cual sea la razón, los datos son abrumadores".

¿Qué pasa, entonces, con los suplementos alimenticios? Ajá, eso es harina de otro costal.

El Dr. Stampfer es el editor médico de un informe muy importante sobre suplementos alimenticios publicado por la Escuela de Medicina de Harvard. Hubo dos informes: uno, el del Dr. Stampfer sobre vitaminas y minerales, y otro sobre preparados de hierbas y de otros tipos.

Los suplementos alimenticios constituyen una industria de dieciocho millardos de dólares anuales. Millones de personas los utilizan para el tratamiento de todo tipo de molestias que van desde la hipertensión, la colitis ulcerativa, el trastorno obsesivo-compulsivo y la calvicie común masculina hasta la pérdida de la memoria, el único tema que nos atañe aquí.

Los suplementos no están regulados por el gobierno, como sí lo están los medicamentos que requieren receta médica. Hasta el verano pasado cuando la Administración de Drogas y Alimentos por fin se puso en marcha para establecer estándares nuevos para etiquetar con precisión y controlar la calidad, los fabricantes nunca habían tenido que poner la lista de componentes, ni indicar las cantidades de estos, ni someter el producto a control de calidad. Hasta ahora se había tenido un sistema regido por políticas propias, y a juzgar por los informes de la Escuela de Medicina de Harvard, una buena parte de la fuerza policíaca estaba bastante distraída. Está prohibido que los fabricantes aseguren que un suplemento sirve para tratar o curar una enfermedad. Pero no hay quién los detenga para que no escriban en la etiqueta aseveraciones tales como: "estimula el deseo sexual", "fortalece el sistema inmune", "alivia el estrés" o, más en el área de nuestro interés, "mejora la memoria".

Los autores de los informes de Harvard usan la táctica de la buena noticia y de la mala noticia. La buena noticia, dicen, es que como se están llevando a cabo más investigaciones estamos aprendiendo más sobre este tipo de sustancias. La mala noticia es lo que estamos aprendiendo: "La mala noticia es que con el aumento en el escrutinio científico, los problemas con las hierbas y otros suplementos están saliendo a la luz".

La mayoría de los problemas tiene relación con las hierbas, no con las vitaminas. Sobre las vitaminas en esencia dicen: no hay evidencia científica (a pesar del alboroto que se ha hecho durante tanto tiempo) de que la vitamina E sirva de ayuda para la memoria en personas saludables; una dieta rica en vitamina E (granos enteros, aceites vegetales y los vegetales comunes de hojas verdes) puede ayudar a proteger contra el Alzheimer, pero no es claro si los suplementos de vitamina E harían los mismo. Los antioxidantes son buenos y son producidos por nuestros cuerpos, pero el valor de los suplementos antioxidantes es incierto. La gente que tiene niveles bajos de ácido fólico y de B_6 y B_{12} al parecer no tienen un desempeño muy bueno en las pruebas de memoria, así que un multivitamínico le haría bien a casi todo el mundo. Dar sobredosis (de *cualquier* cosa) es malo y podría ser peligroso. Por ejemplo, un exceso de vitamina E podría causar sangrado en alguien que tome anticoagulantes tales como la Cumadina.

En cuanto a los suplementos herbales el problema número uno es: muchos de los productos que fueron evaluados en el informe de Harvard no contienen lo que aseguran contener. Problema número dos: algunos contienen una cantidad tan pequeña del ingrediente activo que esta no es significativamente medible. Problema número tres: muchos no tratan de manera efectiva las enfermedades que aseguran tratar.

Los investigadores sometieron cincuenta y dos suplementos herbales a prueba, entre estos los diez más vendidos en el país son: ajo, equinácea, palma enana americana, ginkgo biloba, arándano, soya, ginseng, cimicifuga, hierba de San Juan y cardo santo. Aunque todos estos productos están recomendados en los sitios web como refuerzos para la memoria, solo el ginkgo biloba se comercializa como tal. Así que por ahora sigamos adelante con este.

El ginkgo ha sido la reina del baile en la industria de la memoria. En los últimos años fracasaron varias pruebas y en algunos sitios a la reina del baile no la sacaron más a bailar. Las ventas bajaron muchísimo aunque todavía son enormes; la esperanza es lo último que se pierde. (De hecho, a pesar de la popularidad de los productos herbales, las ventas totales en este país han ido disminuyendo en los últimos diez años. Cuando un ensayo clínico le da un giro positivo a un suplemento, aparece un pico agudo de ascenso dentro de la trayectoria descendente, pero aun así, la trayectoria ha sido descendente. ¿Por qué? Depende de a quién le formule la pregunta. Puede ser porque la gente los ensayó, no encontró beneficios duraderos y dejó de comprarlos, o porque la gente los ensayó, encontró ese beneficio duradero y no necesitó comprarlo más. Usted verá cuál de estas dos respuestas elige.)

Al analizar la calidad y pureza de varios productos ginkgo los investigadores encontraron grandes diferencias en la cantidad del ingrediente activo entre uno y otro. También encontraron que muchos de estos productos no habían sido fabricados de acuerdo a los estándares recomendados. Las nuevas normas de la Administración de Drogas y Alimentos para las etiquetas y los estándares de fabricación no se les aplicarán a todos los fabricantes hasta 2010, y *todavía* no se les va a exigir que la eficacia de los suplementos sea demostrada antes de ser vendidos.

¿Así que cómo sabe uno qué está comprando? Bueno, pues no lo sabe. Salvo si uno hace algo de investigación por su lado y visita en la Red (como nos lo sugieren de modo muy útil los informes de Harvard) sitios médicos acreditados tales como www. clinicaltrials.gov, y averigua qué productos han sido ensayados y qué puntaje obtuvieron.

Los investigadores utilizan una tarjeta herbal de calificaciones para medir la eficacia de los productos.

A significa que existe una "fuerte evidencia científica" para el uso de una sustancia específica para una enfermedad específica.

B significa que existe una "buena evidencia científica" para su uso.

C significa que "no existe una evidencia científica clara" para su uso.

Y así prosigue hacia abajo. D significa… *Olvídelo* (por lo menos con base en las investigaciones actuales). Si yo fuera usted y tuviera sospechas de que estoy obteniendo un beneficio D de un producto recomendado como A, saldría disparada para la librería, la biblioteca local, o adonde el amigo Google a revisar los informes de Harvard.

Para el tratamiento de la enfermedad de Alzheimer y de la demencia vascular, el ginkgo obtuvo una calificación de A. (Varios estudios han demostrado que puede brindarle una ayuda temporal a pacientes con Alzheimer, o por lo menos impedir que la enfermedad avance muy rápido.) Pero para *nosotros*, para mejorar la pérdida de la memoria común y silvestre relacionada con la edad, está calificada con una C; y como "refuerzo de la memoria" para gente sana de todas las edades, recibe esa misma calificación.

De hecho, casi todo recibió una C. Nunca había visto tantas letras C reunidas en un mismo punto. Las conté por encima: de más de 280 calificaciones que se les dieron a 52 suplementos, hubo 14 calificaciones con A, cerca de 30 con B, 26 con D (el ginkgo sacó solo una D como tratamiento preventivo para la apoplejía) y las demás fueron calificaciones con C.

Esto no significa *necesariamente* que esos productos no tengan valor. Los análisis avanzan a buen ritmo. La investigación que hoy tiene visos de ser la más confiable, mañana puede ser refutada por una investigación más reciente. Esto hace parte del proceso científico y también hace parte del problema.

"Ha habido una gran cantidad de estudios terribles que han caído en excesos de sobreinterpretación —dice el Dr. Stampfer—, y por supuesto, hay muchos intereses creados. Para que una sustancia sea probada de manera absoluta habría que hacer ensayos aleatorios en los que a unas personas se les diera la sustancia y a otras un placebo, hacer un seguimiento por un periodo de tiempo y encontrar una diferencia significativa; aún no hay estudios de este tipo".

Pero lo que sí abunda son las variables. El diseño de las pruebas varía; las dosis varían; las poblaciones varían. Un estudio arroja resultados negativos, es decir, que la sustancia X no cumplió con los beneficios que se le atribuyen. Otro arroja resultados positivos, es decir que sí los cumplió. Sin que nos enteremos, un estudio que muestra resultados positivos puede tener alguna conexión con el fabricante del producto de la sustancia X, mientras que el estudio negativo puede haber sido financiado de forma independiente. En resumen, y todos los expertos que entrevisté insisten en lo mismo, a menudo valiéndose de la misma frase: el jurado todavía delibera.

Así que lo único que nos queda son nuestros propios recursos. Este, en realidad, no es un mal lugar para estar. Sería un muy mal lugar si estuviéramos enfrentando tratamientos para una enfermedad que pone en peligro nuestra vida. Pero este no es un asunto urgente (excepto, por supuesto, para los magnates de la industria de los suplementos alimenticios). No estamos hablando de una "cura" no confirmada para el cáncer; estamos hablando de si los suplementos alimenticios pueden o no estimular nuestras empecinadas memorias. Puede que el jurado todavía esté deliberando, pero nosotros contamos con el conocimiento que nuestra propia experiencia nos da.

Lo que me lleva de nuevo hasta mi amiga (quizá ex amiga), la fanática del ginkgo. Su experiencia le dice que el ginkgo es oro.

La mía puede decirme que el ginkgo es espinaca. Pero si pudiera repetir lo ocurrido en el almuerzo ese día, no la sermonearía con los datos de las investigaciones. Le diría: "Si a ti te funciona, entonces funciona". Y asunto resuelto.

¿Por qué? Primero, *porque* el jurado todavía delibera. La fe de ella aún puede resultar estar científicamente bien fundamentada.

Segundo: si es un puro efecto placebo, ¿qué importa? Los efectos placebos pueden ser magníficos. Les han generado muchísimo alivio a muchísimas personas.

Tercero, y es algo que siempre se debe tener presente: supongamos que en la prueba de una sustancia X, el noventa y ocho por ciento de los encuestados reportan que no les sirvió para nada. Solo el dos por ciento reporta que les ayudó. Si usted está en ese dos por ciento, la sustancia X resultó *cien por ciento efectiva, para usted*.

Confieso que a veces, mientras salto de un interminable comercial de televisión a otro y veo esas insistentes súplicas farmacológicas para que probemos diversos productos para "el trastorno del deseo sexual" (¿demasiado deseo?, ¿muy poco?, ¿de qué están hablando?) y "el síndrome de la ansiedad social" y demás… A veces me parece que, en medio de toda su creatividad, nuestras casas farmacéuticas hasta cierto punto no inventan píldoras para tratar enfermedades, sino que inventan enfermedades para vender píldoras.

Las casas farmacéuticas medicalizan la normalidad. Comercializan pócimas para tratar desórdenes que nunca habían sido considerados como tales, como por ejemplo el leve aletargamiento benigno de la memoria —que la mayoría de los expertos en neurociencia están de acuerdo en considerar una parte normal del envejecimiento— y nos convencen, de manera brillante, de que no es normal, de que es una enfermedad por la que se puede y se debe hacer algo, así que compramos esas pócimas por bellas sumas de millardos de dólares al año, a pesar de que existe una extraordinaria insuficiencia de evidencias científicas de que tengan algún efecto.

Bueno, por un lado así es como me siento. Por el otro, si esta industria apareciera con algún refuerzo para la memoria que realmente se viera prometedor, ¿lo compraría?

Amigo, sería la primera en la fila.

Ahora llegamos a las cosas que están comprobadas. Llegamos a la dieta conocida como *restricción calórica*. Esta no hará que comience a secretar jugos gástricos, pero podría ser el primer paso hacia lo que todo el mundo ha estado buscando desde el principio de los tiempos: una forma de desacelerar el proceso del envejecimiento, que incluye, en primer lugar, el envejecimiento de la memoria.

Comenzó con los monos. Si usted los hubiera visto, asomándose desde las páginas de un periódico a finales de 2006, con seguridad que no los hubiera olvidado muy pronto: un par de simios con la expresión más triste que jamás se haya visto.

Participaban, no obstante de manera involuntaria, en un estudio en el Centro Nacional de Investigación sobre primates de Wisconsin, y les sobraban razones para estar tristes. Ambos tenían veintiocho años de edad, que para un mono no es ser ningún jovencito. Pero solo uno de ellos parecía viejo. Ese era el que llevaba una dieta normal, bastante rica en calorías. El otro se veía saludable, vital y joven, pero igualmente desdichado. Si usted recibiera la misma alimentación que él recibía, también se sentiría miserable.

En ese periódico también aparecía la fotografía de un hombre. Este sonreía, aunque tampoco se veía muy bien. Había una leyenda que decía que el hombre medía seis pies y pesaba 135 libras. Mostraban una fotografía del almuerzo del hombre que explicaba por qué una persona podía medir seis pies y pesar 135 libras: fríjoles de soya fermentados y unos pocos vegetales de hojas verdes, ¡qué delicia! La verdad es que ese plato de comida tenía un aspecto patético.

A pesar de la sonrisa lánguida, el hombre afirmaba que se sentía bien. Dijo: "Más que todo sigo la dieta para estar más saludable, pero si me ayuda a vivir más tiempo, ¡pues también lo acepto!".

En ese momento se me vino en mente la antigua broma: elimina las grasas, las bebidas alcohólicas y el sexo y podrás llegar a los 120 años; si antes no te mata el aburrimiento.

Este hombre estaba hablando de la restricción calórica, conocida como RC por sus seguidores, que no son muchos; y por mí, como la Dieta del infierno.

Los científicos saben desde hace mucho tiempo que una dieta rigurosamente restringida, nutritiva, pero con una reducción calórica de un treinta a un cuarenta por ciento, puede generar resultados impresionantes en diversos animales, incluyendo monos y ratones. La dieta altera de alguna forma los procesos moleculares que causan el envejecimiento. Hace que todo se vuelva más lento. (Piense en las tortugas que pueden sobrevivir sin alimento durante meses, reducir el metabolismo al mínimo, y vivir a paso lento doscientos años.)

Durante décadas, los científicos sabían que esto sucedía sin comprender *cómo* sucedía. El enorme descubrimiento que se realizó en los últimos años es que el proceso del envejecimiento se puede regular. Este proceso es controlado por genes específicos y la restricción calórica activa esos genes.

Lo que ocurre es una reacción biológica en cadena: la RC activa un gen que produce una enzima buena que protege las células contra una enzima mala que participa en el envejecimiento.

Puede ser un mecanismo de supervivencia propio del sistema. Cuando uno ingiere tan poco alimento, el cuerpo se siente bajo estrés, igual que si atravesara tiempos de hambruna. Entonces para conservar la energía desacelera todas sus funciones y pone en acción los genes de la "longevidad". Hace lo que debieron haber hecho los cuerpos de nuestros ancestros a lo largo de esos miles de años en los que la caza y la recolección a veces, quizá durante años seguidos, era muy exigua: poner su mecanismo biológico a la defensiva.

Moraleja del cuento: *No fuimos hechos para comer tanto.*

La comida podemos cultivarla, cocinarla, comerla y caer en excesos y encontrarla tan fascinante como para chuparse los dedos, pero nuestro mecanismo biológico todavía está por allá con nuestros ancestros cazadores y recolectores. No fuimos diseñados para hacer incursiones en una *Big Mac* con patatas fritas.

Así que puede que esos monos no estén felices de la vida pero son más longevos que sus parientes más gordos, y son más resistentes a las enfermedades asociadas a la vejez como la diabetes, las enfermedades cardíacas y las neurodegenerativas, que incluyen el deterioro cognitivo.

Muchos investigadores creen que esta dieta también puede dar resultados en personas. Bueno, así como puede alargar la esperanza de vida y como puede proteger contra las consecuencias anormales del envejecimiento, ¿también podría proteger contra las consecuencias *normales* del envejecimiento? Usted puede ver hacia dónde vamos: las implicaciones que esto tiene sobre la pérdida normal de la memoria son sensacionales.

El problema es quién puede seguir una dieta como esta. El hombre de seis pies y 135 libras es una de las varias miles de almas resueltas en el país que tienen una fe ciega en la RC. Incluso existe una Sociedad de Restricción Calórica. Pero para la mayoría de nosotros, le dieta sencillamente es demasiado estricta de mantener.

Lo que nos lleva de los monos a los ratones.

Poco después de que apareció la noticia sobre los monos, salieron informes sobre los experimentos que la Escuela de Medicina de Harvard y el Instituto Nacional del Envejecimiento estaban realizando en ratones.

Los investigadores habían dividido los ratones en dos grupos. El Grupo A tenía una dieta alta en calorías, engordó en la forma esperada y desarrolló todos los síntomas previsibles: fragilidad física, diabetes incipiente, enfermedad cardíaca, el equivalente al Alzheimer en ratones, no les faltó nada. El Grupo B tenía la misma dieta, engordó igual que el otro, pero no desarrolló ninguno de esos síntomas. Permanecían ahí, engullendo carbohidratos y grasas, sin embargo, se mantenían vigorosos y alertas y vivían más. Si alguna vez hubo un ejemplo perfecto de poder tenerlo todo en la vida sin impedimento alguno, estos ratones lo eran.

La diferencia era que los ratones del Grupo B además recibían cantidades enormes de una sustancia química llamada resveratrol. Quizá usted leyó algo al respecto en ese tiempo, el resveratrol es una cosa, de hecho, una molécula, que se encuentra en el vino tinto y pertenece a una clase de sustancias que podrían resultar ser el santo grial del antienvejecimiento. Los investigadores no han llegado a un acuerdo sobre cómo funciona, pero parece imitar los buenos efectos de la RC, o para decirlo al contrario: parece contrarrestar los malos efectos de la típica dieta promedio estadounidense.

El resveratrol puede explicar un fenómeno reconocido hace mucho tiempo y llamado la paradoja francesa: por tradición los franceses han ingerido comida más rica en grasa —todas esas deliciosas y peligrosas salsas a base de crema y mantequilla— que nosotros los estadounidenses, no obstante han sufrido menos enfermedades cardíacas. ¿Por qué?

Una de las teorías le atribuye esto al generoso consumo de vino de los franceses. Esta teoría ha sido asumida como doctrina durante décadas, aunque puede no ser cierta, lo que nunca ha sido obstáculo para que algo sea asumido como doctrina.

Podría ser, por ejemplo, que los franceses hayan sufrido menos enfermedades cardíacas porque a pesar de esas salsas, han consumido menos calorías. (¿Pero *todavía* consumen menos calorías? Hay cerca de 1,100 restaurantes de McDonalds en Francia y los pocos que he visto siempre eran solo para comer de pie; a pesar de que, como quizá usted recuerde, un francés, en un acceso de orgullo y enojo gálico, una vez rompió la fachada de un establecimiento de estos con su camión.) O puede ser que los franceses caminen más que nosotros y que el bien que se hacen con las piernas neutralice el daño que se hacen con la boca.

Sea cual sea la explicación, cualquiera que quisiera ensayar el resveratrol (y una multitud de personas lo hizo) podía comprar sin ninguna dificultad y sin prescripción médica la cantidad que deseara de suplementos alimenticios que tuvieran la sustancia. Pero había un problema: estos suplementos contenían cantidades irrisorias de la sustancia mientras que a los ratones de laboratorio se les daban cantidades tan grandes que para lograr el mismo efecto entre usted y yo tendríamos que tomarnos *cientos de botellas* de vino tinto al día. ¡Salud!

Pero la ayuda quizá esté por llegar en forma de tableta. De los genes antienvejecimiento pueden surgir las drogas antienvejecimiento, la encarnación de la poción mágica.

El Dr. David Sinclair, un biólogo molecular, es el profesor que lideró la investigación en ratones llevada a cabo por la Escuela de Medicina de Harvard. Él, en compañía de otras personas, también fundó una empresa biomédica que comenzó a trabajar sin duda alguna, tan rápido como pudo, en el desarrollo de una píldora que emulara los efectos de la restricción calórica. (Varios destacados investigadores de la memoria y el envejecimiento han fundado empresas por el estilo, y la competencia, como pueden imaginarlo, no está dormida. La mayoría de ellos tiene el respaldo de las casas farmacéuticas: "Si uno no lo hace —me dijo uno de ellos, sin atribuir la fuente—, no puede permanecer en el juego".)

Un año antes de que el informe sobre los ratones fuera publicado, el Dr. Sinclair había hablado en una entrevista en televisión acerca del estudio que su equipo estaba realizando sobre el envejecimiento en gusanos y moscas de la fruta:

"Hemos encontrado que los mismos genes que alargan la duración de la vida en estos organismos simples, se encuentran en las personas... Aún no sabemos si son la clave para la longevidad en las personas, pero sin duda alguna son la clave para la longevidad en organismos simples". Después dijo: "Estamos en un punto en el que necesitamos probar esto primero que todo en los ratones... y si da resultado, tenemos mucho deseo de pasar a los humanos si no es peligroso, o intentarlo también en primates. Pero estamos en el punto en el que estamos analizando mamíferos, y en uno año o dos sabremos si estamos en lo cierto respecto a esto".

Tardaron un año en saber, que por lo menos en ratones, estaban en lo cierto.

Le pregunté: "Usted afirmó que: 'La meta es ver con el tiempo que una persona octogenaria se sienta como se siente ahora una persona de cincuenta'. ¿Esto aplicaría a la memoria? ¿La RC o una píldora que imite la RC podría proteger contra la pérdida normal de la memoria?".

Respondió: "Hay una probabilidad razonable de que podría conservar la memoria de por vida. Observamos que el tratamiento con resveratrol o con la restricción calórica protege a las neuronas contra la muerte. Muchas de las moléculas que funcionan en ratones no funcionan en los seres humanos, pero no vemos ninguna razón teórica para que pudiera funcionar de un modo diferente en humanos".

Dentro de la comunidad científica existe una ley no escrita que estipula que los hallazgos de cualquier laboratorio deben ser confirmados por lo menos por otro laboratorio antes de ser aceptados. Al mismo tiempo en que el estudio del Dr. Sinclair fue publicado hubo otro en Francia liderado por el Dr. Johan Auwerx del Instituto de Genética y Biología Molecular y Celular. Este demostró que los ratones que recibían resveratrol superaban a otros ratones en la banda caminadora dos a uno. "El resveratrol hace que uno parezca un atleta entrenado, sin el entrenamiento", dijo el Dr. Auwerx.

El equipo de Sinclair trabaja en el desarrollo de moléculas mil veces más activas que el resveratrol. El propio Dr. Sinclair toma resveratrol desde hace varios años aunque no dice en qué forma. Sí dijo que su esposa, sus padres y la mitad del personal del laboratorio también lo toman. Un acto de fe, dado que todavía no había ningún conocimiento sobre efectos colaterales potenciales o sobre cuál puede ser el panorama a largo plazo.

Casi no importaba. Los informes sobre los estudios en ratones generaron de inmediato un alboroto ensordecedor. Las ventas libres de suplementos nutricionales que contenían resveratrol se multiplicaron por diez de la noche a la mañana. El trabajo del equipo de Sinclair fue aprobado por otros estudiosos. Incluso se hablaba, *sotto voce* y a veces no tanto, de Premios Nobel, que brillaban como dulces visiones en el aire.

Y a lo mejor todo esto sucederá. Pero en las ciencias, muchas dulces visiones se han avinagrado. Los armarios están atiborrados de informes de experimentos que funcionaron de maravilla en ratones y no tan bien en seres humanos. También de remedios que *parecían* funcionar de maravilla en humanos, hasta que se demostró lo contrario.

Piense en la efedra, la poción mágica para perder peso, todo iba bien hasta que resultó que también podía estar causando ataques cardíacos y apoplejías. Recuerde el torcetrapib, una droga que parecía maravillosamente prometedora para los problemas cardíacos hasta que fue asociada con muertes y problemas coronarios. Recuerde, por Dios, el paseo en la montaña rusa que durante tantos años dieron las mujeres con la terapia de reemplazo hormonal. Por fin, en 2002 salió a la luz una importante investigación que la relacionaba con un mayor riesgo de cáncer de seno; a raíz de esto montones de mujeres dejaron de tomar hormonas. Al año siguiente, los índices de cáncer de seno bajaron considerablemente, por primera vez en sesenta años.

Pero ya es suficiente de dulces visiones.

Suponiendo que de pronto la promesa del resveratrol tampoco llegara a ningún lado, ¿qué sabríamos con certeza acerca de la dieta y la memoria?

Vuelvo a formular la pregunta: ¿Qué ingiere un profesor de nutrición de la Escuela de Salud Pública de Harvard por la salud de su cerebro? ¿Algún suplemento?

"Un multivitamínico —dice el Dr. Stampfer—, y, durante los meses de invierno, un suplemento adicional de vitamina D".

Y en el departamento de comidas: ¿Qué cena?

"Muchas frutas y vegetales. Rara vez carnes rojas. Pescado varias veces a la semana".

¿Qué desayuna?

"Sobras de la cena".

Por supuesto. ¿Y qué almuerza?

"Pan integral con mantequilla de maní. Frutas. Chocolates".

¡Chocolates! Ah, sí, dije, lo he visto en el Internet en las listas de alimentos buenos para el cerebro.

"Espero que sea cierto", dice él.

No aparece en los titulares, no tiene ningún atractivo, no genera alborotos. Pero mientras la ausencia de una poción mágica persista, es la única verdad (excepto por la Dieta del infierno).

Y me encanta la parte del chocolate.

CAPÍTULO CATORCE

Todo está en el computador, ¿no es así?

"Por qué persiste la analogía del computador. Porque no hay ninguna otra".
—Dr. Terrence Deacon, profesor de bioantropología, Universidad de California, Berkeley

ALGUNAS VECES DECIMOS: "Tengo el disco lleno", o: "No tengo más espacio en el disco duro, y: "Lo que necesito es una actualización".

Computador/cerebro: para nosotros, los que padecemos el síndrome de la punta de la lengua, esta se ha convertido en una de las analogías que definen nuestra época, nuestro lugar y nuestro estado mental. Pero como analogía, ¿es buena?

Un amigo me dice: "Lo que me vuelve loco es que está allí dentro, *sé* que está en algún lugar ahí dentro como en el computador… Solo que no logro encontrarlo".

Le pregunto: "¿Cómo puedes estar seguro de que está allí dentro?".

"Bueno, en realidad supongo que no puedo estar absolutamente seguro, pero sospecho que *debe* estar allí dentro porque allí *estaba*".

Si la memoria humana es como la memoria de un computador, todo lo que alguna vez hayamos metido dentro de ella todavía debe estar ahí. Todo, igual que en la mente del pobre y desdichado Funes, el personaje ficticio que conocimos en el Capítulo tres cuya desgracia era nunca olvidar nada. Funes recordaba en detalle cada una de las experiencias que había tenido, cada una de las cosas que había aprendido, oído, olido, sentido o visto, "cada hoja de cada árbol" como escribió su creador Jorge Luis Borges. Todo debe reposar allí, en algún lugar, esperando ser recuperado, a no ser que de manera deliberada (o sin darnos cuenta como lo he hecho en muchas ocasiones desastrosas en mi computador) oprimamos la tecla Suprimir. Si no podemos recuperar un trocito específico de memoria, no es porque no esté allí. Es simplemente porque no hemos oprimido la tecla correcta, no hemos encontrado el estímulo correcto para recuperarlo.

De acuerdo con este punto de vista, el cerebro humano es un disco duro con sus propias normas de funcionamiento y sus propios programas de software. La diferencia esencial simplemente es, si usted se puede imaginar esto como algo *simple*, que utiliza células cerebrales en vez de chips y cables. En teoría, debería ser posible construir un computador que recuerde de la misma forma como recuerda el cerebro. Cuando, no *si* sino *cuando* seamos capaces de entender por completo cómo funciona la memoria humana, esa teoría será una realidad.

Algunos psicólogos y científicos cognitivos, al igual que algunos filósofos, sostienen este punto de vista. Los expertos en informática, por supuesto, lo sostienen con pasión.

Muchos expertos en neurociencia no están para nada de acuerdo con esto.

Todo el mundo está de acuerdo en que comparar el computador con el cerebro humano es razonable en ciertos aspectos básicos: ambos son sistemas de entrada y salida de datos. Ingresan información, la manipulan, la guardan y la sacan. Ambos tienen memorias increíbles. Los científicos pueden hacer muchas equivalencias de este tipo entre tecnología y neurología. Pero para nosotros, que no cesamos de perseguir elementos extraviados por los laberintos del cerebro, la pregunta sigue en pie: ¿Todo lo que entró en él aún está allí como en un computador, o no?

La respuesta definitiva: Nadie está seguro.

Tal como con el valor de los suplementos nutricionales, el jurado todavía delibera. En esta incógnita el jurado puede quedarse afuera por siempre. Nadie ha sido capaz de comprobar que todo lo que hemos puesto en nuestra memoria todavía está allí y sin duda alguna nadie ha podido probar que no lo está y lo más probable es que nadie lo hará nunca. Dado que existe este leve problema en ambas vías, ¿cómo haría uno para probarlo?

Claro está que si uno no puso atención suficiente en primer lugar para mover ese dato de la memoria a corto plazo a la de largo plazo, el dato ya no está. Nunca estuvo. Una opinión que prevalece entre los expertos en neurociencia es que si el dato llegó al almacenamiento profundo, alguna versión de este todavía puede estar guardada allí, pero no en su forma original.

Piense de nuevo en cómo se forma un recuerdo específico: es un bombardeo de señales químicas y eléctricas que viajan a través de redes neuronales en una serie innumerable de reacciones en cadena. Cada recuerdo específico y cada recuperación específica de un recuerdo viejo crea su propio patrón de señales, así que cada vez que uno lo saca y lo vuelve a guardar, el patrón cambia.

Incluso los recuerdos más fuertes que tenemos han sido modificados de esta manera a lo largo de los años. Mientras más haya vivido uno, más veces habrá podido sacar ese recuerdo y mayor podrá ser la modificación de este. También es posible que cuando un recuerdo ha estado reposando durante mucho tiempo sin que haya sido recuperado ni una sola vez, que ese patrón específico de señales simplemente se haya desvanecido. Es la vieja expresión "Úselo o piérdalo", aplicada desde la perspectiva neurológica.

A Terrence Deacon, bioantropólogo de la Universidad de California famoso por su trabajo sobre la evolución del lenguaje y autor del libro *La especie simbólica: la coevolución del lenguaje y el cerebro*, no le gusta la analogía del computador.

"Tenemos la tendencia a pensar la biología como pensamos las máquinas —dijo cuando nos reunimos una tarde en su casa, cerca del campus de Berkeley—. Usamos metáforas de máquinas para pensar en el cerebro porque son las metáforas más fáciles de expresar y de comunicar. Pero esto es totalmente engañoso. La forma como recordamos las cosas es por completo diferente a escribir en un disco o guardar algo en un chip de memoria. En esos sistemas todos los detalles *están ahí*. El dato entra y permanece intacto. En nuestro caso, es justo lo contrario".

"Pienso en la memoria como algo similar al proceso de crear un palimpsesto, escribir sobre algo una y otra vez —Palimpsesto, según el diccionario es: "Un pergamino, tableta, etcétera sobre el que se ha escrito o grabado dos o tres veces, sin haber borrado perfectamente el texto o textos anteriores"—. ¿Entonces todo lo que estaba allí dentro todavía está? Quizá, pero no del modo en que nos lo imaginaríamos. Porque cuando recordamos algo, por lo general lo estamos superponiendo sobre otros recuerdos".

No se sabe bien, dice el Dr. Deacon, cómo nos las arreglamos para atravesar las capas de este palimpsesto para encontrar lo que hay debajo. Para continuar usando la analogía de la escritura, la tinta es mejor cuando estamos jóvenes. "Y aunque escribamos sobre ella una y otra vez el material con el que superponemos otros escritos es una especie de tinta más clara. Por ello cuando intentamos devolvernos es fácil confundirlo con el material inicial. La verdadera sorpresa, y creo que es un milagro, es que seamos capaces de devolvernos. Supongamos que alguien recuerda algo que nosotros dos vimos hace un año y yo diga que no lo recuerdo. Pero si están presentes otras dos o tres personas que también estuvieron con nosotros en esa época y todas empiezan a aportar sus versiones de ese recuerdo, finalmente yo también logro recuperarlo, y diré: "Ah, sí, ¡ya lo recuerdo!"".

La metáfora del palimpsesto me trae a la mente el pentimento, otra metáfora útil para hablar de la memoria. Literalmente, *pentimento* es el proceso por el cual imágenes sobre las que se pintó algo encima comienzan a verse a través de la última capa de pintura. Lillian Hellman lo utilizó de manera simbólica para titular su autobiografía, para describir hechos pasados de su vida que iban aflorando a la superficie de la conciencia a través de las capas del tiempo.

Hubo críticos que dijeron que Hellman le hizo muchos ajustes a los hechos que iban aflorando a la superficie de la conciencia a través de las capas del tiempo, y que su memoria era *demasiado* creativa. (Si usted estaba viendo televisión a altas horas de la noche en 1980, quizá recuerde el revuelo que se armó cuando la escritora Mary McCarthy dijo en el *Show de Dick Cavett*: "Cada palabra que Lillian escribe es una mentira, incluso los *y* y los *el*".) Pero la autobiografía de Hellman era muy agradable de leer. Además, ¿qué autobiografía no tiene algo de creativa?

"El cerebro funciona con una lógica muy diferente a la del computador. Creo que la idea del palimpsesto es una forma de hacer que la gente comprenda esa lógica —dijo el Dr. Deacon—. Con un computador, el lugar en donde se almacena algo es en definitiva el asunto crucial: sé que en este chip hay millones de pequeños *bits* guardados en memoria, y cada uno tiene una dirección definida, única. Cuando necesito recuperar uno de ellos, regreso a la misma dirección".

"¿Y no tenemos algo análogo a eso?", pregunté.

"*No* lo hay. Los recuerdos no se guardan en una caja separada en el cerebro destinada para 'los recuerdos'. Un recuerdo humano se guarda en fragmentos. Hay una parte visual del recuerdo, una parte auditiva, una táctil, una motora y una emocional. Tiene todos estos componentes y no se almacenan en el mismo lugar. Esto significa que para recuperar ese recuerdo uno necesita tomar los diferentes pedacitos que se insinúan, diferentes pistas de todos estos fragmentos.

Pero tenemos algo adicional: el lenguaje. Podemos crear una historia, una narración, para hallar nuestro camino de regreso hacia el recuerdo. Por ejemplo, puedo preguntarle qué desayunó ayer. Puede que sea difícil para usted recordarlo de inmediato, pero si construye la historia al revés…"

"¿Cómo hago eso?"

"Bueno, en mi caso, podría ser: ¿qué hice ayer? Veamos, era el día después del Día del trabajo. ¿Todavía estaba mi esposa o ya se había ido? ¿Tuvimos tiempo de preparar el desayuno? No, no hubo tiempo. Ella ya se había ido, puedo verla cuando partía. Está bien, ¿en ese caso, qué tipo de desayuno me habría comido? Acostumbro desayunar tostadas, café y jugo. Pero no quería eso. *Ahora* lo recuerdo. Desayuné cereal, y ahora incluso puedo recordar qué tipo de cereal era, a qué olía y cómo lo mezclé. Pero hace treinta segundos, no hubiera podido recordar nada de eso".

Algunos teóricos también han empleado la analogía del río que labra un cauce. Es una buena analogía, fácil de captar: mientras más veces fluya el agua por el cauce, más profundo se hará este. Si se labra con suficiente profundidad el agua nunca se saldrá. Así, de hecho, es la formación de la memoria de procedimiento: el tipo de memoria implícita e inconsciente del caminar, el hablar, el atarse los zapatos.

Pero la pregunta sobre qué desayunó el Dr. Deacon no tiene que ver con ningún cauce profundo. Esto le corresponde a la memoria episódica: el tipo de memoria personal, explícita y consciente, que va perdiendo velocidad con la edad. Decenas de miles de desayunos diferentes en la vida de cada uno, y cada uno es un recuerdo episódico separado, guardado en varias partes del cerebro. ¿Cómo logramos encontrar el camino de regreso a él?

En lugar de un cauce profundo, dice el Dr. Deacon, imagine arroyos. Una gran cantidad de arroyos poco profundos. Diferentes pedacitos del recuerdo de ese desayuno específico están almacenados en diferentes arroyos.

"Este pedacito es motor, este otro es sensorial, este tiene que ver con un sonido o una forma particular… y si uno puede poner en marcha una cantidad suficiente de ellos, ellos resonarán entre sí. Son compatriotas, por decirlo así. Si un par de ellos comienza a rodar, se aumenta la probabilidad de que otros, que fueron grabados al mismo tiempo y en la misma situación, también se pongan en marcha y entonces usted recordará".

Esta explicación nos da una idea de lo que ocurre desde el punto de vista biológico cuando recordamos por asociación: todos esos fragmentos compatriotas comienzan a congregarse unos a otros para alcanzar una meta denominada. Qué desayuné ayer.

Este tipo de asociación es lo que el cerebro hace asombrosamente bien, es lo que los computadores no hacen tan bien y es lo que los futuristas aseguran (ver capítulo diecisiete) que los computadores del mañana harán muy bien o *por lo menos* tan bien como lo hace nuestro cerebro.

Pero en el presente, en una competencia entre la memoria de un computador y la memoria humana, no solo la memoria de un ser humano de determinada edad sino *cualquier* memoria humana, ¿cuál prevalecería?

En realidad depende de los términos de la competencia. ¿Velocidad? ¿Precisión? ¿Enfoque creativo?

Los especialistas coinciden en que las diferencias básicas entre los dos son estas:

1. Los métodos para codificar la información
2. La velocidad
3. La precisión

Cada uno tiene fortalezas y debilidades.

En primer lugar están las diferentes formas como los computadores y los humanos captan la información.

El computador, al ser digital, funciona paso a paso, mientras que el cerebro, construido más sobre líneas análogas, funciona en un continuo.

Si usted no entiende lo que esto significa, no seré yo la que se lo va a enseñar. La razón por la que no se lo enseñaré es que yo tampoco lo entiendo. No de *verdad*, no desde el punto de vista de la tecnología.

Yo sé que el vocabulario de lo digital está compuesto solamente de ceros y unos, y con esto construye universos de información. Esto me dio dificultad hasta que se me ocurrió que el código Morse también se las arregla para decir mucho y solo lo hace con puntos y guiones. No es que el código Morse sea digital, sino que me ayuda a captar la *naturaleza* del asunto, aunque no el aspecto tecnológico.

En cuanto a lo de análogo, me sirvió muchísimo una sugerencia de Harold Edwards, profesor de matemáticas del la Universidad de Nueva York: "Piense lo análogo en términos de la perilla del volumen de un radio —dijo—. Usted lo sube o lo baja, es un *continuo*".

Así que entre puntos y guiones y el volumen del radio, me sentí mejor con todo este asunto y si usted también tiene dificultades en este plano de realidad, quizá también se sentirá mejor.

Por fortuna, no siempre es necesario entender cómo funcionan las cosas para poder usarlas. A saber: ¿cuántos de nosotros *realmente* entienden cómo funciona la electricidad, la gravedad, la aspirina, o (para el caso) la perilla de volumen del radio? Esto no nos impide hacer un buen uso de todos ellos.

Ahora, con respecto a la velocidad: "Un aparato de dos giga-hertz —ni se le ocurra preguntar qué significa eso— hace cientos de millones de operaciones en un segundo —me dice Barry Gordon, neurólogo de Johns Hopkins—. Esa velocidad es *una locura*; hace un número asombroso de cosas, aunque sean cosas sencillas como mover un bit de un lugar a otro, pero las hace una a la vez.

En comparación, los cien millardos o más de neuronas en mi cabeza funcionan infinitamente más despacio, solo en el orden de diez veces por segundo. Pero la maquinaria del cerebro hace cientos de cosas a la vez. Cuando uno camina y habla, por ejemplo, está haciendo dos cosas separadas que involucran sistemas muy diferentes, pero de manera simultánea. Mientras uno escribe, el sistema visual también está atento a lo que está pasando en la periferia de la visión. Si un bicho empezara a subirse por la persiana usted reaccionaría —no le quepa duda—. Estas son dos de las diferencias más grandes: la enorme diferencia en las velocidades relativas operativas del computador y del cerebro y el funcionamiento serial del computador versus el funcionamiento en paralelo del cerebro, aunque ahora hay computadores que también tienen algunas operaciones en paralelo. La brecha se está cerrando".

¿Y la precisión?

En este aspecto, dice él, el computador cuenta con dos grandes ventajas: la precisión y el hecho de buscar las cosas por la dirección:

"Si yo fuera un computador y quisiera localizarla, tendría que saber su dirección exacta y allí estaría usted. Si no conozco la dirección, no podría encontrarla. La memoria de un computador funciona así: es uno o cero, está ahí o no está, sí o no.

De esta manera la información puede ser transmitida sin error. Ahora, si lo fuera a hacer del modo asociativo, no tendría que saber exactamente dónde vive usted. Me pararía en la calle y gritaría: 'Martha' y todas las Marthas se darían vuelta. El sonido la encontraría. Pero algunas Marcias o Mirtas podrían pensar: 'Creí escuchar que me llamaban', y quizá también responderían. Habría esa ambigüedad. Nuestra memoria funciona de esta manera, no por localización sino por características similares".

Quizá recuerde que Sherlock Holmes, un genio de la memoria asociativa a quien no le importaba saber nada sobre el sistema solar porque esto solo le atiborraría la mente, comparó la memoria humana con un ático que debe mantenerse ordenado. Podemos mantener en orden los archivos del computador si los organizamos de una manera eficiente (no es que yo lo haga, pero *se puede*). Si están apiñados o ya no son relevantes, podemos vaciarlos: los eliminamos.

¿Qué pasa con el cerebro, en ese caso? Mientras más años vivamos más numerosos serán nuestros recuerdos, más hacinados y estratificados estarán, y más interferencia habrá entre ellos. ¿Cómo podemos vaciar el cerebro?

No podemos, dice el Dr. Gordon. En realidad no borramos nada. Lo que hacemos, de hecho, es escribir encima. "Pero uno *puede* guardar cosas innecesarias en ese ático, si las organiza de un modo adecuado.

Lo llamamos la paradoja de los expertos: los expertos saben mucho y si los recuerdos interfieren entre sí, todo ese conocimiento de los expertos debería provocar en su cerebro mucho más apiñamiento e interferencia. Esto no sucede, porque ellos organizan la información". (La paradoja tiene árbol genealógico. El estadista, Marco Tulio Cicerón, dijo antes del primer siglo a.C., que la mejor ayuda para la memoria no eran las ayudas mnemotécnicas, sino el orden. Ese no es mi fuerte.)

"Tomemos como ejemplo a los observadores de pájaros. Dicen: 'Oh, hay un pájaro no volador, tiene pico y patas largas. Este pertenece a esta categoría. Las aves de rapiña van aquí, las águilas y los buitres van juntos por acá...'. Ellos clasifican todo lo que ven; todo se inserta en su lugar".

Es similar al supuesto sistema de loci, llamado formalmente *método de loci*, una de las ayudas mnemotécnicas más antiguas y conocidas. La leyenda, y quizá incluso el hecho, es que fue inventado en el siglo quinto a.C., por el poeta griego Simónides. Los mnemotecnistas profesionales lo utilizan cuando llevan a cabo ese magnífico truco de pedirle a cien espectadores que se levanten y digan el nombre, y luego el profesional los repite en orden; incluso de atrás para adelante, para dejar al público en verdad atónito.

Se hace por asociación visual. Supongamos que usted necesita hacer una serie de llamadas telefónicas a Tina, Tom, Dick, Harry, Mary y Jane. Usted visualiza a cada uno de ellos en un cuarto diferente de algún lugar conocido, como por ejemplo, su casa. Se imagina la sala de su casa llena de Tinas; el comedor atestado de Toms; la cocina con una multitud de Dicks; la habitación principal repleta de Marys; el estudio, de Harrys y la habitación de huéspedes, de Janes (tiene usted una casa de muy buen tamaño; si no la tiene, necesita una ayuda mnemotécnica de otro tipo). Cuando usted quiera recordar la serie de llamadas telefónicas hace un recorrido mental por las habitaciones y allí están, es de esperar. (Lo que me encanta de este truco que tiene 2.700 años es que parece, de cierto modo, presagiar los computadores: busque por localización.)

Muy pocos de nosotros tienen la necesidad urgente de recitar cien nombres de atrás para adelante, pero el método en realidad funciona bastante bien en tareas de memoria más moderadas: imagínese la cama con un montón de prendas que tiene que llevar a la lavandería, la mesa de la cocina cubierta de cuentas por pagar… O, como dije antes, y no vacilo en repetirlo, siempre es posible hacer una lista.

Así que la memoria humana no puede eliminar, lo que en mi opinión es una lástima, pero puede organizar el desorden. ¿Puede guardar?

"Probablemente el sistema límbico se encarga de eso", dijo el Dr. Gordon.

¿Puede hacer copias de seguridad?

"No en el sentido que se usa en computadores, pero tenemos copias de seguridad automáticas en términos de las múltiples codificaciones de nuestros recuerdos y de los múltiples lugares de almacenamiento".

¿Se puede aumentar la capacidad la memoria como se hace con la del computador?

En esta ocasión, estábamos hablando por teléfono, pero seguro sonrió.

"La capacidad de la memoria —dijo—, se ha estado aumentando durante seis millones de años".

Los computadores lo recuerdan todo o nada. No hay puntos intermedios. En cambio el cerebro está lleno de puntos intermedios. Piénselo de esta manera: lo que uno pone en el computador es una abstracción de una experiencia. Cuando uno la recupera está intacta. Lo que uno *recuerda* es una abstracción de esa experiencia, después una reconstrucción de esa abstracción, después una reconstrucción de la reconstrucción y así sucesivamente, cada vez que la recupera. Y, por supuesto, mientras más tiempo transcurra, más cierto se vuelve esto.

En el viejo y magnífico musical *Gigi*, había un dúo de maravilla llamado *I Remember It Well* (*Lo recuerdo muy bien*). Era interpretado por Maurice Chevalier y Hermione Gingold, ambos fallecidos hace tiempo; hacían el papel de un par de ancianos que recordaban una breve aventura amorosa de juventud.

Él, lleno de nostalgia, canta recordando el paseo en carruaje de regreso a casa. No, no, canta la Gingold con su gruñido inolvidable: "Me llevaste a casa caminando".

Él recuerda que ella perdió un guante. No, dice ella, fue un peine.

Él recuerda que el cielo resplandecía; ella, que llovía.

Él recuerda las canciones rusas que escuchaban; ella, que eran canciones españolas.

¡Sí!, canta él suavemente, con los ojos brillando por la emoción del recuerdo: "Ah, sí, lo recuerdo muy bien".

Esto ilustra lo que quiere decir el Dr. Daniel L. Schacter de Harvard cuando habla de la memoria *reproductiva* del computador versus la memoria *constructiva* del cerebro.

Esa memoria del hombre de la canción es la memoria constructiva; se *re*construyó en forma reiterada a lo largo de los años. Quizá la de la mujer también lo sea, ¡qué sabemos!, tal vez nevaba, tal vez lo que en realidad se le perdió fue una bufanda, aunque la idea que encierra la canción es que la memoria de ella es precisa, *porque las mujeres recuerdan este tipo de cosas*.

Pero si cuando todo esto pasó hubiera sido introducido y guardado en un computador y hubiera sido recuperado diez, veinte o cien años después, el informe climático y las notas de objetos perdidos todavía estarían allí y serían reproducidas de manera exacta, tal como ingresaron. Esa es la memoria reproductiva.

La memoria cerebral tiene sentimiento. El computador es frío y distante. Supongamos que usted recuerda algún hecho personal importante ya sea trágico, aterrador o placentero. Cuando saca fuera este recuerdo, los detalles pueden sufrir una alteración sutil por la rememoración de la tristeza, el terror o el placer, al igual que por el efecto atenuante del tiempo.

Si usted hubiera puesto esta experiencia en el computador cuando acababa de pasar y años después la hubiera recuperado, su recuerdo podría haber cambiado tanto que usted miraría la pantalla con asombro, pensando: "¡No es así como yo lo recuerdo!", tal como sucede a veces cuando vemos fotografías nuestras cuando éramos niños y decimos: "¿De verdad ese soy yo? ¡Me parece que nunca fui ese niño!".

Y aquí está la gran pregunta: el computador, frío y distante, recuerda con precisión, ¿pero *sabe* que recuerda?

Después de la Segunda Guerra Mundial, el matemático inglés Alan Mathison Turing trabajó en el diseño de lo que él denominó máquina de computación automática universal. Desarrolló un ejercicio complicado que llegó a ser conocido como la prueba de Turing. Se decía que la prueba estaba inspirada en el Juego de la imitación, un juego muy popular en las fiestas de aquella época, que consistía en lo siguiente:

Dos personas de la fiesta, un hombre y una mujer, son puestos en habitaciones separadas, los demás no los ven. Los otros invitados les hacen preguntas y el hombre y la mujer entregan respuestas mecanografiadas. El objetivo de ambos es convencer a la concurrencia de que se trata de él o ella, y el objetivo de la concurrencia es adivinar quién es quién. (Debido a que la lógica en ambos lados dependería muy fuertemente de un concepto estereotipado de los géneros, es fácil imaginar por qué este juego hoy en día no tendría mucha acogida.)

Turing propuso una variación en el juego: en vez de que los sujetos fueran un hombre y una mujer, propuso que fueran un ser humano y un computador. Hay un observador humano que no puede ver a los sujetos, que no sabe cuál es cuál y que comienza a hacerles preguntas. Si el observador continúa preguntando y preguntando, indagando a fondo y aun así no puede descifrar cuál es cuál, el computador gana.

Turing se adelantó a las objeciones que se le harían la prueba (se le hicieron muchas) y suministró sus propias respuestas, tales como:

"La objeción del que prefiere enterrar la cabeza en la arena: las consecuencias del pensamiento de las máquinas serían demasiado espantosas. Esperemos y creamos que no pueden hacerlo".

Respuesta: Este es un argumento moral, dijo Turing, no uno científico.

Objeción teológica: Como pensar es una función del alma inmortal humana, no hay forma posible de que un computador pueda pensar.

Respuesta: Si Dios quisiera darle al computador un alma, sin duda alguna podría hacerlo.

Hasta ahora ningún computador ha ganado. Hasta ahora.

Si un computador llegara a ganar la prueba, la deducción inevitable sería que las máquinas pueden pensar.

Muchos especialistas creen que es ahí donde la analogía cerebro-computador se derrumba. Pensar, después de todo, presupone un "Yo". Cuando recordamos cualquier cosa, hay un "Yo" que hace todo el ejercicio del recordar. Ese "Yo" tiene la *sensación* de recordar y también la sensación de poseer. Uno sabe que el recuerdo es de *uno,* de nadie más; tiene la percepción consciente de que le pertenece a *uno*.

Aún más dramático, supongamos que uno tenga sesenta años, uno sabe que su *recuerdo* de un *recuerdo* de algo que ocurrió *hace medio siglo* le pertenece, sin duda alguna, a uno. (Esto *suena* muy elemental. Cuando analizamos lo que uno tarda en llegar de aquí hasta allá, ¡un instante! en el cosmos neuronal del cerebro, es, como dice el Dr. Deacon, un milagro.)

Con base en este estándar, no hay dudas acerca de quién gana la competencia computador-cerebro. Los computadores no tienen un "Yo". (Los futuristas responden: Espere, allá llegaremos más adelante".)

Es bueno tener un "Yo". Me siento sumamente feliz de tener uno. Pero el precio que pagamos por ese "Yo" es la imprecisión de nuestros recuerdos; y no podía imaginar, hasta que le planteé la pregunta al Dr. Schacter, cuál podría ser la ventaja práctica de una memoria imprecisa.

Hablamos en su oficina, cerca de Harvard Yard. "Una de las razones por las cuales la memoria tiene este carácter construc-tivo y por la cual no es una repetición mecánica del pasado, podría ser que un sistema que funcione de esta manera resulta más ventajoso para planear el futuro —dijo—. Si uno puede ser flexible en la forma como recuerda el pasado o como combi-na los elementos de diferentes experiencias del pasado, esto le ayudaría a anticipar lo que va a ocurrir en el futuro. Porque el futuro, por supuesto, nunca será una fiel repetición del pasado".

El Dr. Schacter hace esta distinción: el computador es un recipiente de conocimiento, mientras que el cerebro es un re-cordador de experiencias. El computador no necesita planear situaciones futuras que podrían ser diferentes de situaciones pa-sadas. El cerebro sí. Por lo tanto, el cerebro tiene que enfrentar algunos problemas sumamente diferentes a los que enfrenta el computador estándar.

"Que Dios nos ayude si tuviéramos computadores que fun-cionaran como cerebros y nos entregaran el *quid* de un asun-to, en vez del archivo exacto que ingresamos. No necesitamos que el computador nos entregue el quid, necesitamos el archivo exacto. El computador no se ocupa de inferir qué *pudo* haber pasado basado en información fragmentaria, es literal. Esto es maravilloso para un computador, pero ese no es nuestro sistema y no quisiéramos que lo fuera".

El Dr. Schacter habla sobre la memoria como una especie de "viaje mental a través del tiempo". La frase captura a la perfección una de las maravillas asociativas de la memoria. Tengo un ejemplo que ocurrió una noche, hace poco:

Estaba en un restaurante en Nueva York y me comí un bistec asado, esto me hizo recordar de inmediato un restaurante en Londres en donde me había comido un bistec asado exquisito hace seis años; lo que me trajo a la mente a una amiga que ahora vive en Londres con quien me veía a menudo en una playa en Cape Cod por allá en la década de los setenta; de ahí, en un instante me trasladé mucho más atrás en el tiempo, a los fines de semana dichosos que pasaba en el verano en diferentes playas con mis padres y mi hermano, en los años cuarenta.

Así que, en segundos, viajé a través de seis décadas y de una franja bastante amplia de territorio desde la perspectiva geográfica, gustativa (en ese departamento mi memoria está muy bien) y emocional, en todos los sentidos.

No existe un computador que pueda hacer esto. Nadie puede afirmar que no lo *habrá*. (El Dr. Schacter en su libro evita con gracia arriesgar una opinión al respecto: "Todavía está por verse si el abismo que separa a ambos permanecerá infranqueable por completo y para siempre".) Pero por *ahora* no existe.

Entonces, llegamos a esa otra maravilla suprema del cerebro: la creatividad.

Nuestra habilidad para crear, imaginar, fantasear, fluye directamente de nuestra habilidad para asociar, y esta no desaparece con la edad.

El cerebro hace todo esto de manera automática. El computador debe buscar las cosas. Sí, es verdad que lo hace a una velocidad pasmosa. Pero pese a toda esa velocidad, no logra trascender más allá.

"¿Qué le falta a un computador que sí tenga una persona?", le preguntó un reportero de *The New York Times* al científico cognitivo de la Universidad de Indiana, Douglas Hofstadter.

"No tiene conceptos", contestó.

El reportero le dijo: "Conozco algunas personas que no tienen conceptos". Hofstadter replicó, en mi opinión, de una manera increíble: "Sí tienen conceptos. La gente está repleta de conceptos. Uno no tiene que saber qué es un concepto para tener uno".

Se necesita un cerebro humano para jugar con la experiencia pasada, para desmenuzarla y armarla de mil maneras diferentes, creando mil historias con tramas distintas a partir de los fragmentos de la memoria. Se necesita el cerebro humano para escarbar entre sus propios archivos imperfectos, experimentar innumerables combinaciones de fragmentos y lograr finalmente una combinación que resulte placentera para los sentidos, agregándole un toque de esto y una pizca de aquello, casi como un buen chef improvisando una sopa, para que el resultado final no sea una sopa sino un poema.

Por supuesto que la creación de un *buen* poema es rara. Pero el mérito de la memoria humana es poder hacerlo y que cualquiera de nosotros, a cualquier edad, pueda intentarlo.

Bueno, si usted quiere una memoria veloz, brillante, cien por ciento confiable, decídase por la memoria del computador.

Si quiere imaginación, creatividad, combinar cosas descabelladas e inusuales al azar, como manzanas y mandarinas, sólo por el placer de hacerlo, si *eso* es lo que quiere, decídase por la memoria del cerebro.

Por lo menos, *esa* debería ser su opción hoy. Mañana, la historia podría ser otra.

CAPÍTULO QUINCE

Recuerdos tipo *flash*
¿DÓNDE ESTABAS CUANDO...?

"¿SEPTIEMBRE ONCE? —preguntó Giorgio Marchetti, un hombre de negocios italiano—, lo recuerdo exactamente, *exactamente*. Soy piloto, no de profesión, sino por placer, y ese día volaba de Lugano, Suiza, de regreso a casa, en Milán. Aterricé el avión y entré al edificio y no vi a nadie. No había policía, ni inspectores para los pasaportes, ninguna otra persona, ¡nadie! Me sorprendí, porque en mi país, cuando regresamos de cualquier otro país, es obligatorio presentar el pasaporte, incluso si somos italianos.

Pensé:'¿Qué pasó aquí?'. Luego vi una enorme multitud en un punto con los policías y con todo el mundo, estaban allí parados mirando una pantalla de televisión. Me acerqué y le pregunté a alguien:'¿Qué pasa?'. Entonces lo vi. Todo el mundo estaba parado en silencio, un silencio terrible, como en estado de choque. Siempre, hasta que muera, escucharé ese silencio. Para mí resulta muy sorprendente ver con cuánta claridad están en mi mente ese silencio y las imágenes de ese día".

Los psicólogos los llaman recuerdos tipo *flash*: son recuerdos de dónde estábamos y qué hacíamos en el instante en que nos enteramos de un hecho de importancia capital.

¿Dónde se encontraba usted cuando se enteró del 9/11? ¿Dónde estaba cuando oyó que John F. Kennedy había sido asesinado? ¿O cuando fueron asesinados Martin Luther King, o Bobby Kennedy, o Lee Harvey Oswald? ¿O cuando el Challenger estalló? ¿O cuando supo que una princesa se había abierto paso a la eternidad tras haberse estrellado en un túnel parisino, o que un hombre había aterrizado en la luna…? ¿Dónde estaba usted? Las escenas reposan como fotografías en el ojo de la mente.

¡Y qué precisión de imágenes! La gente recuerda no solo dónde estaban y cómo se enteraron, sino además con quién estaban, qué hacían, qué decían, en qué pensaban, qué estaban comiendo… Pregúnteles, y ellos responderán: "Oh, lo recuerdo *exactamente*". Ese es el estribillo de todo el mundo. El asesinato de Kennedy en 1963: "Lo recuerdo *exactamente*". A los *boomers* que en ese tiempo estaban en la escuela primaria: "Lo recuerdo *exactamente*". A los octogenarios que en ese entonces estaban criando a los *boomers*: "Lo recuerdo *exactamente*".

Estamos ahora en el territorio en el que los problemas habituales de la memoria no son, con perdón suyo, ningún *problema*. El truco es cómo olvidar.

Los recuerdos tipo *flash* resisten las incursiones de la edad y las razones de esto contienen una lección de gran importancia para todos nosotros.

El parecido más cercano que tiene la memoria tipo *flash* es con la memoria de las experiencias profundamente personales como por ejemplo esos traumas de la infancia que también resisten el paso de los años. Al igual que estos, los recuerdos tipo *flash* tienen una poderosa cualidad fotográfica: los *vemos*. Y al igual que estos, los recuerdos tipo *flash* son tenaces; son las lapas de la memoria. La gente dice que se encuentran entre los recuerdos más vívidos de su existencia, tan vívidos como sus recuerdos de los sucesos personales de mayor relevancia.

Pero aquí está lo extraño: estos *no* son acontecimientos personales, son absolutamente públicos. Sin embargo, parece que los codificamos como experiencias personales.

El psicólogo Ulric Neisser dijo: "Los recuerdos tipo *flash* traen a la memoria una ocasión en la que dos narraciones que por lo general mantenemos separadas, el curso de la historia y el curso de nuestra propia vida, por un instante se alinearon".

Dos narraciones. Dos sistemas de memoria. Usted recuerda (eso espero) que en uno de los capítulos anteriores leyó sobre dos clases diferentes de memoria. La memoria semántica se relaciona con datos. (Dato: John F. Kennedy fue asesinado en Dallas.) La memoria episódica se relaciona con la experiencia personal. (Experiencia personal: "Salí por la puerta del colegio cuando escuché que alguien gritó algo sobre el presidente Kennedy".)

Es allí donde los dos tipos de memoria parecen fusionarse, tal como parecen fusionarse la identidad personal y la colectiva. Somos parte de la experiencia pública y la experiencia pública es parte de nosotros, y sólo intente separar ambas.

Inténtelo: si usted tiene suficientes años para recordar la escena, intente rememorar la imagen icónica de John-John saludando el ataúd de su padre y a su madre de pie, detrás de él, cubierta con un velo y con la mirada vacía, sin rememorar sus propias emociones.

He entrevistado a muchísimas personas aquí y en el extranjero para preguntarles qué recordaban del momento exacto en que escucharon por primera vez la noticia sobre lo sucedido el 11 de septiembre de 2001 y el 22 de noviembre de 1963.

Después de un tiempo, comenzaron a surgir hilos comunes. Cuando hablaban del día en que las Torres Gemelas se derrumbaron, muchas de ellas recuerdan, además del horror, los signos y presagios aciagos de que no se necesitaría ayuda.

Así fue para el escritor y educador Joel Conarroe y para la abogada Ellyn Polshek, ambos habitantes de Greenwich Village, muy cerca de la tragedia.

CONARROE: Estaba en el jardín de la terraza del edificio en el que vivo cuando un avión pasó volando por encima a una altura alarmantemente baja y después chocó contra la primera torre. Vi cuando el segundo avión se estrelló. Por todas partes había gente en los balcones y terrazas; y cuando el primer edificio se colapsó todos gritamos. Aún puedo escuchar ese coro estremecedor… Cuando por fin salí del edificio había una fila de personas que serpenteaba desde el Hospital de St. Vincent alrededor de varias manzanas, esperando para donar sangre.

POLSHEK: Estaba en la banda caminadora viendo CNN. Una periodista dijo que un avión acababa de chocarse contra el *World Trade*. Dijo que debía tratarse de una "falla técnica". Mostraron la torre con el fuego que manaba en grandes cantidades. Luego vi otro avión. Mi primer pensamiento fue: "Vaya, qué rapidez la de las autoridades, lo envían para evaluar el daño". Voló detrás de la torre, luego vi un destello… Un trabajador en el apartamento lo vio conmigo. No dejaba de repetir: "Esta debe ser la tercera guerra mundial". Recuerdo a los médicos de emergencias esperando afuera en el Hospital de St. Vincent. Permanecieron allí parados, solos, casi todo el día.

Así fue también para Mary Willis, una escritora neoyorquina:

Estaba en la cocina y mi hermana me telefoneó y dijo: "Enciende el televisor". Lo encendí justo en el momento en que el segundo avión chocó. De inmediato fui a la Cruz Roja y doné sangre que, por supuesto, no necesitaban. Pero nadie lo sabía aún.

Así fue también para mi marido y yo, y quién sabe para cuántos de nuestros vecinos que atravesamos de prisa el Parque Central para llegar al hospital más cercano para brindar cualquier tipo de ayuda que con seguridad sería necesaria. En lugar de esto, encontramos docenas de auxiliares parados en silencio, afuera del hospital, esperando ambulancias que nunca llegaron.

Luego, más tarde, pero igual de indelebles, vienen las imágenes posteriores:

El día después del 9/11, Bob y yo fuimos llevados a la *Zona Cero* y dimos una vuelta alrededor del lugar. Nos detuvimos en un área abierta. Nunca olvidaré la imagen de tres vigas de metal cruzadas que habían aterrizado en ese lugar como si fueran tres cruces, y a los policías y trabajadores, de rodillas, orando frente a ellas.

—Ina Caro, historiadora, Nueva York

Una semana después de que el presidente fue asesinado, nuestra familia salió de paseo en el auto cuando la llanta de un carro que pasó al lado de repente se estalló. Sonó como un disparo. Susie, que tenía cinco años en este momento, gritó: "¡Papi, papi!". Supongo que en la mente de un niño, los hombres importantes ahora eran un blanco. ¿Y quién podría ser más importante para esta pequeña que su propio padre?

—Maggie Scarf, escritora, New Haven, Connecticut

¿Por qué los recuerdos tipo *flash* perduran de este modo vívido y gráfico?

En parte, simple y obviamente, por su fuerza emocional. Tal como sucede con esas experiencias personales apremiantes, la amígdala, el mediador cerebral de las emociones, está trabajando a toda máquina, grabando la memoria a fondo.

Pero también, y para nosotros este es el punto clave, recordamos a la perfección los acontecimientos *flash* porque los repetimos sin cesar.

Es justo lo que todos los expertos en memoria nos dicen con insistencia: lo que hace que algo se adhiera a la memoria es repetirlo, hacer asociaciones, elaborarlo, involucrar todos los sentidos. En estos acontecimientos *flash*, involucramos los sentidos hasta la N potencia. De hecho, no podemos evitarlo. Al pensar en ellos; al soñar con ellos; al repetírnoslos unos a otros un sinfín de veces, los detalles de dónde estábamos y qué hacíamos cuando escuchamos la noticia… y el cubrimiento imparable de los medios, las imágenes ineludibles de televisión que se repiten una y otra vez durante semanas, meses y de nuevo en cada aniversario… ¡Eso sí es repetir! Si alguna vez nos exigieran pruebas del papel de la repetición y de la elaboración en la memoria, los recuerdos tipo *flash*, por desgracia, las suministrarían.

Es una forma tremenda de probarlo. Ojalá nos ahorráramos esos recuerdos, ojalá nos ahorráramos esas pruebas. Pero el punto es este: ya sea que se trate de un acontecimiento aterrador o de uno aburrido, el *proceso* es el mismo. Queda grabado en la memoria por elaboración.

Si el hecho es aterrador, el recuerdo es codificado en forma automática. Si es aburrido, debemos hacer un poco más de esfuerzo. Para recordar esas banalidades que nos vuelven locos, como el *¿Cómo se llama?*, *¿Quién me dijo eso?*, *¿Cuándo estuve allí?*, *¿Qué estaba diciendo?*, *¿Para qué vine a esta habitación?* y, por supuesto, el clásico *¿Dónde dejé mis lentes?*, es necesaria la elaboración. Exige repetición, repetición y, a riesgo de repetirme a mí misma, repetición.

Solía pensarse que el recuerdo *flash* era de algún modo excepcional. El término en sí lo introdujeron en los años setenta dos psicólogos, Roger Brown y James Kulick, que creían que un momento *flash* desencadena un proceso neurológico especial que se dispara como el *flash* de una cámara para conservar la imagen en el cerebro. Eso es lo que le da esa cualidad gráfica tan extraña. Lo llamaron Instantánea.

Entrevistaron a docenas de personas para preguntarles sobre los recuerdos de los asesinatos de los hermanos Kennedy y de Martin Luther King.

La mitad de los entrevistados era negra y la otra mitad, blanca. Todos, excepto uno, tenían recuerdos tipo *flash* del ataque contra JFK. (Recuerde, no estamos hablando del recuerdo general del acontecimiento, sino del recuerdo del momento específico en que uno se enteró del mismo.) Cerca de la mitad tenía recuerdos tipo *flash* del ataque contra Robert Kennedy. ¿Qué hay del ataque contra Martin Luther King? Tres cuartas partes de los negros y una tercera parte de los blancos tenían este tipo de recuerdo.

Con base en estos resultados tan convincentes, los psicólogos concluyeron que mientras más relevancia tuviera un acontecimiento público *para un individuo*, había una mayor probabilidad de que el mecanismo de la Instantánea se activara.

La mayoría de los investigadores ya no cree en este mecanismo. Creen que lo que ocurre a nivel neurológico es probablemente lo mismo que ocurre con los recuerdos personales fuertes. El recuerdo de tipo *flash* se fija por su importancia emocional y por la repetición constante.

Esto explica por qué estos recuerdos casi no se alteran con la edad. Cuando le pregunto a la gente dónde estaban y qué hacían cuando oyeron por primera vez sobre los atentados contra las Torres Gemelas, las personas de ochenta años contestan con la misma claridad y detalle que las de cuarenta.

Katie Popper, autora de un libro de cocina, recordó con precisión:

Iba camino al salón de belleza en el autobús número diez. El conductor informó que algo malo había pasado en el centro de la ciudad y que tendría que cambiar la ruta. No sabíamos de qué se trataba, pero imaginé que debía ser algo terrible y que mejor me abastecía de alimentos. Así que me bajé del autobús y fui a un supermercado y llené dos bolsas pesadas y luego intenté tomar un taxi para regresar a casa. Pero ya en ese momento no había taxis. No había autobuses, ni metros, nada se movía. Solo grandes hordas de personas, caminando en silencio por Broadway desde el centro de la ciudad.

Katie Popper tiene noventa y tres años.

En resumen, lo que importaba, lo que siempre importa en los recuerdos tipo *flash*, no era cómo estaban las personas de edad, sino qué tanta carga emocional tuvo el acontecimiento para ellos. Por lo menos en este ruedo el sentimiento le gana a la edad.

Esto también explica por qué, personas de otros países, tales como Giorgio Marchetti de Italia, a quien cité antes, y el escritor-compositor Elmer Schönberger, un amigo de Ámsterdam, a quien citaré a continuación, tienen recuerdos tipo *flash* tan fuertes de un hecho que sucedió en los Estados Unidos:

Estaba en casa, trabajando. Esa noche iba a ir a un concierto maravilloso en el Ámsterdam Concertgebouw, interpretarían *De Staat* de Louis Andriessen, un trabajo que significa para mí mucho más que cualquier otra música holandesa de los últimos cincuenta años. Cuando trabajo en casa, el mundo más o menos deja de existir para mí. ¿Por qué encendí el televisor esa tarde? No lo sé. Solo sé que desde ese momento en adelante, unos minutos antes de que la segunda torre fuera golpeada, me quedé pegado a la pantalla. Desde entonces, *De Staat,* se convirtió en la pieza que *no* escuché la noche del 9/11.

Y Manuel Montesinos, ejecutivo de una fundación en Madrid:

Llegué a casa a almorzar a las dos y media, hora de Madrid. Me serví una copa de un buen vino tinto de la Rioja y empecé a ayudar a poner la mesa. Cuando ya estábamos sentados en el comedor, encendí el televisor. Estaban repitiendo el ataque del primer avión. Aún no había noticias sobre quién estaba detrás del atentado. Pero como en los Estados Unidos ha habido hechos muy violentos perpetrados por gente enferma, lo primero que pensé fue que se trataba de algún maníaco suicida.

No les pregunté, pero dudo que tengan recuerdos tipo *flash* del asesinato del Presidente Kennedy, como tampoco los tendríamos nosotros de la caída del Muro de Berlín en 1989, aunque mis amigos alemanes ciertamente los tienen; o como tampoco los tendríamos del asesinato del primer ministro sueco, Olof Palme en 1986, aunque los suecos con seguridad los tienen. El asesinato del presidente estadounidense, aunque fue estremecedor, no tuvo una trascendencia personal para la mayoría de la gente no estadounidense, el once de septiembre sí la tuvo.

Casi todos los estadounidenses que entrevisté pertenecen a la generación del *baby boom* y tienen todas las quejas habituales sobre la memoria. Pero pregúnteles dónde estaban cuando asesinaron a JFK y *zas.* Uno podría escribir una obra de teatro, asignar papeles, armar el escenario, diseñar el decorado y disponer toda la utilería, con base en la riqueza de detalles de esos recuerdos.

La juventud, por supuesto, es especialmente susceptible a las emociones intensas. Todas esas hormonas que fluyen, toda esa adrenalina que inunda el sistema graba los hechos de un modo más profundo y permanente en los cauces de la memoria del cerebro.

"Estábamos dando vueltas por ahí en el descanso entre clases cuando anunciaron por el altavoz que el Presidente Kennedy había sido asesinado. Nos pidieron que fuéramos de inmediato al auditorio —recuerda Betsy Burton, propietaria de una librería en Salt Lake City—. Todos los chicos que habían estado empujándose en los pasillos en varias direcciones, se dieron vuelta en un solo bloque, hacia el auditorio. Todos avanzábamos despacio. Sentíamos la necesidad de hablar en voz baja. Todavía puedo ver los rostros de mis amigos mientras caminaba, de una manera muy vívida, como si los viera en una pantalla.

El director nos contó lo que había ocurrido. Ese instante y las caras de mis amigos en el pasillo cuando el anuncio se hizo son imágenes que podría reproducir perfectamente.

Estaba en clase de inglés en Chevy Chase, Maryland. Recuerdo que el director entró al salón de clases y bajó las persianas. Nos enviaron temprano a casa, recuerdo que mi madre preparó pasta y que cuando la escurrió la echó en el drenaje del fregadero, sin cedazo, porque no estaba pensando en lo que hacía, estaba llorando", esta es Katie Moffitt, una ceramista de Princeton, New Jersey. Observe el detalle. Moffitt tiene cincuenta y ocho años. Tenía catorce cuando esto sucedió. Durante un lapso de cuarenta años, en el ojo de su mente han permanecido las persianas bajadas, el cedazo olvidado, la pasta que taponaba el drenaje del fregadero.

Piense también en esto: si uno tiene edad suficiente para recordar el año de 1963, ¿qué otras cosas recuerda con cualquier grado de detalle, de ese mismo año? ¿O para el caso, de 2001?

★   ★   ★

Otra característica curiosa del recuerdo tipo *flash* es que inspira una convicción inquebrantable de la precisión de nuestro recuerdo.

Jeremy Pikser, un guionista de Nueva York, recuerda el asesinato de Kennedy con detalle cinematográfico:

Estaba decorando el gimnasio para el baile del Día de Acción de Gracias con algunos de mis compañeros de la escuela intermedia. Uno de ellos dijo que alguien más le había dicho que le habían disparado al presidente. Fui a las oficinas del colegio y me enteré de que era cierto y de que todavía estaba con vida. Nadie sabía qué hacer así que seguimos decorando el lugar hasta que supimos que estaba muerto. El presidente del consejo estudiantil dijo que no veía por qué debíamos cancelar el baile. Todos los demás creyeron que estaba loco. De camino a casa pasé por el jardín de una niña que tenía el cabello muy rojo y brillante. Era del sur y de veras aborrecía a JFK, pero se impresionó muchísimo cuando le conté. A mí tampoco me agradaba, pero desde la izquierda, aun así casi me pongo a llorar cuando le di la noticia.

Luego dijo: "En realidad no estoy seguro de qué tan preciso sea todo esto. Sea cierto o no, lo que me resulta interesante es la claridad y la viveza del recuerdo".

Eso también me resulta interesante. Porque, de toda las personas a quienes les pregunté ¿Dónde estaba usted cuando? Pikser fue la única que sugirió que su recuerdo a lo mejor no era totalmente preciso.

Tenemos la tendencia a proteger con un vidrio los recuerdos tipo *flash*. Insistimos en que los recordamos *exactamente*. Ponga en entredicho mi memoria con respecto al libro que leí la semana pasada y quizá le diré (quizá, si estoy de un humor apacible):

"Bueno, ya sabe. Mi memoria es terrible". Ponga en entredicho mi memoria con respecto a cómo me enteré que JKF había sido asesinado y le diré que usted no estaba allí conmigo, así que ¡largo de aquí!

Pero, de hecho, *exactamente* no es tan exacto. El recuerdo tipo *flash* no es perfecto; solo es mejor que la mayoría. Lo que les resulta fascinante a los investigadores es por qué tenemos tanta fe en su perfección.

En parte, por supuesto, es por la enorme inversión emocional que hemos hecho en ese tipo de recuerdos. Protegemos nuestras inversiones. Pero los estudiosos han encontrado que hay algo más que participa: el recuerdo de ese momento capital puede ser distorsionado por lo que haya ocurrido inmediatamente *después*.

Por ejemplo, entrevisté a una mujer que insistía en que estaba sola en casa, acostada en la cama porque tenía dolor de cabeza, cuando oyó en el radio la noticia del asesinato. Sin embargo, el marido insistía con la misma fuerza, que la habían escuchado juntos, en la cocina, y que la congoja de ella fue aumentando con cada boletín informativo hasta que tuvo que recostarse. Él se había ido para la oficina y cuando regresó ella todavía estaba en cama.

Es probable, no es *definitivo*, solo probable, que ella hubiera fundido ese momento con lo que pasó inmediatamente después. A medida que repitió el hecho a lo largo del tiempo, lo que predominó en su recuerdo fueron esas horas que pasó en soledad, presa de una gran agitación.

Es más factible que cometamos este tipo de errores (si es que fue un error, ¡a lo mejor el *marido* lo recordaba mal!) en la medida en que envejezcamos, simplemente porque hemos tenido más tiempo para repetirlo. Hemos recuperado ese recuerdo tipo *flash* y lo hemos guardado de nuevo y lo hemos recuperado otra vez y lo hemos vuelto a guardar, capa sobre capa de recuerdos. En cada realmacenada se da una alteración sutil, no por pérdida de memoria, sino porque esa es la forma como la memoria parece funcionar. (Repetir demasiado tiene sus desventajas. Pero en verdad, ¿qué no las tiene?)

Así que si otras personas estaban con usted en el momento en que sucedió un acontecimiento tipo *flash* y ahora dicen acerca de su versión: "No, así no fue como sucedió", no les vaya a arrancar la cabeza. Puede que estén en lo cierto. Por otro lado, usted puede estar en lo cierto, en ese caso está bien que les arranque la cabeza. Yo lo haría.

De todos modos esta es, se los aseguro, la forma definitiva, precisa y exacta como me enteré de la muerte de JFK:

Estaba en una gira para promocionar mi primer libro, un libro que sobresale por ser poco memorable, y en la mañana del 22 de noviembre de 1963, hora de Los Ángeles, estaba esperando tras bambalinas para aparecer en el show de televisión de *Art Linkletter*. ¿Se acuerdan de *Art Linkletter*?

Estaba muy temprano; el anfitrión no había llegado aún. El público estaba sentado adelante. Me asomé entre las cortinas y vi que tenían lleno total. Un miembro del equipo de filmación miró un monitor de televisión y de inmediato gritó. Entonces todos vimos, de pie, tras bambalinas, el desenlace de la terrible historia.

Linkletter llegó. El productor lo llamó aparte. Lo escuché decir: "No, no, haremos el show".

El hombre encargado de animar al público salió para hacer su oficio. Escuché un grito y pensé: les acaba de contar lo ocurrido. Pero no, no se los había dicho. Había anunciado el número de boleta de entrada que había sido premiado.

No recuerdo cuál era el premio.

Linkletter salió después ante el auditorio y les informó lo ocurrido, hubo un gran suspiro colectivo seguido de un profundo silencio atónito y después el show continuó.

Después, me preguntaba por qué no me había marchado. (A mí, me encantaba Kennedy. Con esto no quiero hacer sentir culpable a cualquier persona que no le gustara y que no lloró.)

Me preguntaba por qué los demás no se habían marchado. La explicación más probable es que la gente no sabe qué hacer. En momentos de tanto caos surge con apremio un impulso compensatorio hacia el orden, la rutina, la continuidad.

Me preguntaba, como siempre lo hago en una circunstancia u otra: *¿Por qué* debe continuar el show? La única respuesta razonable que jamás he escuchado fue la del administrador de un teatro, que dijo: "Porque si no continúa, la taquilla de entrada tiene que devolver el dinero recibido". Quienquiera que haya dicho "El dinero es el motor", sabía de qué hablaba.

Después vino la imagen posterior, allí también estaba presente el halo del dinero:

El 22 de noviembre mi esposo llegó a Los Ángeles y el 23 fuimos a Las Vegas en donde me habían organizado varias entrevistas con la prensa.

Las Vegas estaba en silencio. Las Vegas era surrealista. Las Vegas estaba de luto. Se había suspendido el juego hasta las 12:01 a.m. del 24 de noviembre. Los casinos estaban cerrados y la ciudad nos parecía un mar de paños verdes que cubrían las máquinas tragamonedas, las mesas de juego, todo.

A las 11:00 p.m. en el vestíbulo del hotel en donde estábamos alojados comenzó a formarse una multitud frente a las puertas cerradas del casino.

A las 11:45 la multitud era enorme y ruidosa, estaba impaciente.

A las 12:01 las puertas se abrieron de par en par y esta es la imagen posterior al acontecimiento que conservo: la horda avanzó con estruendo como seres famélicos en alguna tierra devastada en pos de los alimentos que caían desde un helicóptero. Gritaban, se empujaban, se daban codazos unos a otros. Aún puedo verlos. Todavía escucho el grito del acomodador: "¡Conserven la calma! ¡Conserven la calma! ¡Conserven la calma!".

Para terminar, un recuerdo tipo *flash* de una mujer que, con justa razón, insistió en el anonimato. Fue la única persona, entre las que entrevisté, que me mostró una prueba para corroborar su historia:

Mis padres estaban de viaje; mi hermano menor estaba en el colegio; y yo había faltado al colegio sin permiso y mi novio vino a casa. Pasamos toda la mañana en mi cama, acariciándonos. Estábamos muy enfrascados en nuestro juego sexual. No teníamos ni idea de lo que estaba pasando en el mundo.

Dejaron salir a los niños temprano del colegio. Mi hermano llegó a casa y no nos dimos cuenta. De repente el destello de un *flash*: el mocosito nos tomó una foto. Él dijo, y lo cito, estas fueron sus palabras exactas: "Me das asco. Enciende la televisión". Luego salió corriendo de la casa, nosotros nos recuperamos y encendimos el televisor en el momento justo en que Walter Cronkite hacía el anuncio, usted sabe: "El Presidente Kennedy murió a...", y luego se quitó las gafas para ver el reloj: eran las doce y pico. Todavía lo puedo ver con tanta claridad, quitándose esas gafas y poniéndoselas de nuevo, haciendo un esfuerzo para no llorar...

Mi hermano nunca les contó a mis padres, sabía que no lo haría. Era un buen chico, aunque en ese entonces nos odiábamos. Durante años le supliqué que me entregara esa fotografía, y nunca me la daba. Por fin, casi diez años después, cuando me comprometí, me la dio como regalo de compromiso, envuelta en papel de regalo.

Considero esta historia, ¿y cómo no hacerlo?, como el ejemplo insuperable de un recuerdo tipo *flash*.

CAPÍTULO DIECISÉIS

El panorama general

SR. DARWIN, ¿POR QUÉ PASÓ ESTO
(POR QUÉ A MÍ)?

LA NATURALEZA ES UNA BUENA MADRE para el que esté en edad reproductiva y una mala madrastra —no malvada, solo indiferente— con el resto de nosotros.

Tal vez yo, de cierto modo, preferiría que fuera malvada. La indiferencia es tan insultante. Pero la indiferencia, por desgracia, es lo lógico. Como todo el objetivo del arduo trabajo de la naturaleza es la reproducción: ¿por qué habría ella de hacer algo por nosotros si ya no estamos haciendo nada por ella?

Por ende, no lo hace.

Estaba discutiendo esto con el Dr. William Jagust, el experto en neurociencia de la Universidad de California, Berkeley, y con su gato.

Sobre el gato, llamado Teddy, les cuento: estuvo un rato acurrucado a mis pies como un perro en el estudio del Dr. Jagust; luego se subió a la mesita auxiliar, justo al lado de mi grabadora y se sentó allí en silencio, alerta, parecía que absorbiera todo en detalle igual que la grabadora. Y aunque a mí en realidad me gustan más los perros, parecía tan atento y era tan obvio que se sentía *feliz* de estar ahí, que también me hizo sentir feliz.

239

"¿Ha escuchado alguna vez el término *pleitropia antagonista*?", preguntó el Dr. Jagust, de un modo cordial, así como uno preguntaría: ¿Ya fuiste a ese nuevo restaurante en *Nob Hill*?

Le aseguré que no. Ni él, ni Teddy parecieron sorprendidos.

"Es un concepto muy sencillo, a pesar del nombre. Es la idea de que un gen que es bueno para uno en un estadio de la vida, en estadios posteriores puede acarrearle consecuencias muy nocivas, pero esas consecuencias son irrelevantes. El mejor ejemplo es la testosterona. La testosterona es muy buena si uno es un hombre. Lo hace a uno fuerte, lo hace correr rápido, favorece la reproducción. Pero si uno la tiene durante un periodo largo de tiempo le puede llegar a dar cáncer de próstata. A la evolución no le importa si a usted le da cáncer de próstata a los cincuenta o sesenta años, siempre y cuando haya estado fuerte y saludable a los veinte.

Eso es la pleitropia antagonista. Es probable que una buena parte de lo que ocurre a medida que envejecemos sea una manifestación de funciones que fueron importantes durante la juventud y que son irrelevantes en etapas posteriores de la vida".

Visto en estos términos evolutivos, ciertos misterios de la memoria cobran otras dimensiones.

Misterio: ¿por qué ciertos tipos de memoria permanecen fuertes, mientras que otros se debilitan?

Conocemos las respuestas biológicas: los lóbulos frontales se encogen, las conexiones entre neuronas disminuyen en número y fuerza, y así sucesivamente, ¿pero cuál es la razón evolutiva? ¿Hay una ventaja con respecto a la supervivencia? En otras palabras: ¿Sr. Darwin, ¿qué es lo que pasa?

Misterio: los nombres. ¿Por qué se nos olvidan? Revisamos las razones obvias en el Capítulo uno: porque los nombres son palabras que no tienen sentido y cosas por el estilo. Pero, en términos evolutivos, *¿por qué?*

Tal vez recuerde unos cuentos de Rudyard Kipling titulados *Precisamente así*, se dice que él los escribió para entretener a su hijita, a lo mejor la niña los odiaba, pero eso es lo que se dice. Fueron publicados en 1902, lo que significa que han sido leídos más o menos por cuatro generaciones de niños entre los que quizá se cuenten usted y sus hijos.

Los cuentos *Precisamente así* responden preguntas tales como: ¿Por qué el leopardo tiene manchas? ¿Por qué el hipopótamo tiene una piel tan resistente? Y, ¿por qué el elefante tiene una nariz tan larga? (Porque, había una vez un elefante bebé que se alejó de su casa, se acercó demasiado al borde del agua y un cocodrilo lo agarró de la nariz y de la boca y trató de halarlo dentro de la corriente, haló y haló… *Ajá*. Precisamente así.)

En realidad, los *Precisamente así* son difíciles de encontrar. Por un lado está toda la evidencia abrumadora a favor de la teoría darwiniana; y por otro también hay una gran cantidad de especulación informada sobre por qué desarrollamos esta característica y aquella otra y cuáles han sido las ventajas en relación a la supervivencia y demás; y hay además algunos especialistas muy bien informados a quienes no les gusta participar en lo absoluto en estos juegos de adivinanzas.

El Dr. Ian Tatternall es el curador de la División de Antropología del Museo Estadounidense de Historia Natural, en Manhattan y es el autor de muchos libros sobre la evolución humana entre los cuales están *The Fossil Trail: How We Know What We Think We Know About Human Evolution (El rastro de los fósiles: cómo sabemos lo que creemos saber sobre la evolución humana).* (Me encanta ese *"creemos saber"*. Es un gran título.)

Le pedí que le diera una mirada a la pérdida normal de la memoria bajo el prisma darwiniano, y con mucha cortesía se excusó para no hacerlo. "Muchas cosas ocurrieron al azar, por razones pasivas —dijo—. Pero somos una especie narradora de historias. Nos encanta que nos cuenten historias y a mucha gente le complace hacerlo —luego añadió—: La gente idolatra a Darwin y luego lo deja congelado, él hubiera detestado eso. Toda la ciencia es provisional".

Es cierto, por supuesto, que añoramos los *Precisamente así*. No queremos respuestas provisionales. Congelamos a Darwin porque queremos respuestas cuya certeza sea inamovible y a menudo no logramos obtenerlas.

Dicho esto, los científicos pueden hacer algunas suposiciones bastante razonables y como de costumbre suministrar sus propias teorías provisionales. Al hablar con ellos, me ha llamado mucho la atención que casi de manera invariable digan: "Probablemente" y "Creemos" y "Esta solo es mi teoría, pero…".

Regresemos a la vieja y querida pleitropia antagonista y a la explicación del Dr. Jagust: "Es probable que una buena parte de lo que ocurre a medida que envejecemos sea una manifestación de funciones que fueron importantes durante la juventud y que son irrelevantes en etapas posteriores de la vida".

Probablemente sucede más o menos lo mismo con la memoria. Por ejemplo, miremos el primer misterio que planteé: ¿Por qué la potencia de algunos tipos de memoria es más duradera que la de otros?

La memoria de procedimiento que (si lo recuerda) cubre todo lo que hacemos en forma automática, la memoria semántica que cubre los datos y la memoria episódica que cubre las experiencias personales, todas son fuertes mientras somos adultos jóvenes. Tienen que serlo. Ya no estamos bajo el cuidado de nuestros padres; debemos cuidar de nosotros mismos y de nuestros hijos. Tenemos que recordar no solo cómo atarnos los zapatos (de procedimiento) y qué es un zapato (semántica), sino también cuándo es necesario mandar a arreglar los zapatos; qué número de zapato comprarles a los niños y dónde iría a parar ese zapato que nos quitamos anoche de una patada (todo memoria episódica).

El tiempo pasa. La memoria de procedimiento sigue intacta.

La semántica sigue en relativo buen estado (puede que a uno se le olvide por un momento cómo se llama esa cosa que a uno le gusta echarle a la ensalada, pero uno sabe qué *es* la rúgula).

La memoria episódica comienza a perder velocidad. ¿Por qué? En parte, claro está, porque la memoria de procedimiento y la semántica se fijan a en la memoria a través del encuentro repetido. Quizá también porque, en términos de supervivencia, no es importante recordar a dónde fui a caminar ayer, con quién me encontré y de qué hablamos. Lo que importa recordar es qué significa *caminar* y cómo caminar.

Ya no *necesitamos* que la memoria episódica tenga toda su fuerza. Sería bueno tenerla, y nos saca de casillas cuando no llega, pero ya no es necesaria.

O tomemos ese otro misterio, los nombres de las personas. ¿Por qué no podemos recordarlos? Bueno, si usted lo considera desde una perspectiva evolutiva, ¿por qué *deberíamos* recordarlos? Analice el número de nombres que le llegan a la mente en un solo día: en la casa, en el trabajo, en la calle, en la televisión, en línea, en los periódicos, y demás. Cada uno de nosotros probablemente se encuentra con más gente en un solo día que la que se encontraba una persona durante toda su vida hasta hace muy muy poco tiempo.

En este sentido, uno podría decir que la evolución no se ha puesto al día con las realidades de la vida moderna. Somos una obra en proceso. Es de suponer, si antes no nos volamos en pedazos, que seguiremos progresando.

Vamos a desviarnos un poco aquí para hacer una línea de tiempo, solo con el fin de aclarar lo que *hace muy muy poco tiempo* significa. Se dice que el Planeta Tierra tiene cerca de cuatro millardos y medio de años, un cálculo que hicieron los geólogos fraccionando rocas átomo por átomo. Ellos afirman que es como calcular la edad de un árbol contando los anillos, aunque esto a mí no me suena tan laborioso como lo anterior.

La vida en la Tierra, en forma de microorganismos unicelulares que crecían en el suelo del océano, surgió más o menos entre dos millardos y medio y cuatro millardos de años atrás.

Los mamíferos surgieron hace doscientos millones de años.

Los humanoides (en oposición a los antropoides, simios y sus congéneres) surgieron hace uno o dos millones de años.

Nosotros, los Homo Sapiens, surgimos hace cuarenta mil o cien mil años. Eso es *todo*.

Por lo tanto, se puede observar que proporcionalmente no llevamos mucho tiempo en la tierra: por decir algo llevamos billonésimas de un nanosegundo (que es la millardésima parte de un segundo, como lo aprendí hace sesenta segundos) de la existencia de la Tierra. Pero también se puede ver que una vez que empezamos a movernos, lo hicimos *rápido*. Y una vez que empezamos a inventar tecnología lo hicimos de un modo *impresionantemente* rápido.

Para traer a colación un ejemplo que da vértigo, el futurista Ray Kurzweil dice en su libro *La era de las máquinas espirituales*: "Los computadores son cerca de cien millones de veces más poderosos por el mismo precio unitario que lo que eran hace medio siglo. Si la industria automotriz hubiera progresado de esta manera en los últimos cincuenta años, *un automóvil hoy en día valdría una centésima de centavo y superaría la velocidad de la luz*".

La bastardilla es mía. Hablaremos más sobre los futuristas en el capítulo que sigue. Fin del desvío.

Le comenté al Dr. Jagust que yo podía entender que en lo relativo a la evolución todo el interés del cuerpo estuviera dirigido a la edad reproductiva y de crianza de los hijos. Puede no agradarme, pero puedo comprenderlo: los músculos que se ablandan, los ovarios que se encogen, el semen que se debilita, todo el mecanismo. ¿Pero por qué tiene que verse afectada la memoria?

Dijo: "Lo que denominamos pérdida normal de la memoria con el envejecimiento en realidad es muy leve. En la mayoría de los casos no produce problemas muy graves".

¿Entonces, en principio, por qué permitir que suceda?

La respuesta a esta pregunta suele ser: porque recordar todo lo irrelevante atiborraría la mente (el Efecto Sherlock Holmes).

Pero si atiborrara nuestras mentes, también atiborraría las mentes de nuestros hijos y nietos. ¿Por qué nos escoge a *nosotros*? ¿Qué habría de malo en dejarnos conservar la memoria intacta?

Al analizar esta pregunta, podía escuchar la súplica lastimera de ese encantador y pequeño hombre del común, Tevye, en el musical de Broadway *Violinista en el tejado*.

Tevye le decía a Dios que se daba cuenta de que Él había creado muchísima gente pobre. Además se daba cuenta, por supuesto, de que ser pobre no era una vergüenza tan grande. Pero tampoco era un gran honor. ¿Qué habría habido de malo en que Dios hubiera hecho arreglos para que él tuviera una pequeña fortuna?

Con el perdón de Tevye, uno podría preguntarle a la Madre Naturaleza: "Me doy cuenta de que has creado muchísima gente olvidadiza. Además me doy cuenta de que ser olvidadizo no es ninguna vergüenza, pero tampoco es un gran placer. Así que: ¿Qué habría de malo en que hubieras hecho arreglos para que yo pudiera recordar dónde diablos dejé los lentes?".

Y la respuesta llegó: No sería rentable.

Desde la perspectiva biológica, el cuerpo es una maraña de competitividad implacable. Hay millones y millones de células compitiendo por sobrevivir. Los científicos evolutivos hablan de procesos metabólicos que son "costosos" y "caros" de mantener, de capacidades que deben "ganarse la vida" contribuyendo a la reproducción. Si algún proceso se encarece tanto que el precio de mantenerlo excede el beneficio (un "beneficio" es cualquier cosa que ayude a la reproducción), se va cancelando de un modo gradual, o en jerga evolutiva, "la selección actúa en su contra".

Esto es la selección natural. Pienso en ella en términos de capitalismo celular.

El cerebro es un órgano supercostoso, de mantenimiento caro y sus lóbulos frontales son *especialmente* costosos de mantener. Y, como hemos visto, estos pueden ser esenciales para la memoria episódica, pero esta no es esencial para *nosotros*. No es necesario haberse graduado de la Escuela de Administración de Harvard para captar el análisis de la relación costo-beneficio del asunto.

"Los lóbulos frontales son quizá la última parte del cerebro que se desarrolla y son también la primera en desaparecer —dijo el Dr. Jagust. Los últimos en ser contratados, los primeros en ser despedidos—. ¿Por qué son los primeros en desaparecer? Ante todo, no lo sé —Pregunta: ¿Qué tan a menudo escucha a su médico afirmar *eso*?—. Pero creo que hay razones lógicas: reciben un aporte extraordinario de las demás partes del cerebro. Utilizan una gran cantidad de flujo sanguíneo y de oxígeno, desde una perspectiva metabólica resulta caro mantenerlos. Cuestan toda esa energía metabólica y yo diría que la cantidad de beneficio que la especie —se refiere a nosotros, amigo—, obtiene de ello no es lo suficientemente grande como para conservar la función activa del sistema en su totalidad".

Sin embargo, todavía me preguntaba: puede que para la evolución sea irrelevante lo que *nos* suceda, pero si el juego es optimizar las ventajas reproductivas, ¿no tendría un niño mayores oportunidades de sobrevivir hasta alcanzar la edad reproductiva si no solo contara con la memoria de mami y papi, sino además con la memoria de abuelita y abuelito?

"Ah, sí, ese argumento tiene un nombre —dijo el Dr. Jagust—, se llama el Argumento del abuelo".

¡El Argumento del abuelo! Qué estocada. Estaba pensando que se me había ocurrido una idea muy creativa y en cambio, simplemente me había posado sin pensar, como una abeja en un arbusto, en una fórmula bien conocida llamada el Argumento del abuelo.

"Sí —dijo—, ese ha sido uno de los argumentos que se han planteado a favor del envejecimiento saludable. Pero hay que tener cuidado. No sé cuál era la esperanza de vida promedio durante la mayoría de esos años en que existieron humanos como nosotros, pero supongo que era de treinta o cuarenta años. Un abuelo podría tener treinta y cinco años". Es decir, estaba muy por debajo de esa edad en la que el sistema episódico de la memoria empieza a jugar a las escondidas con nosotros.

Aquí está el punto fundamental: *No fuimos diseñados para vivir tantos años.*

¿Entonces por qué razón sí lo hacemos?

El bioantropólogo Terrence Deacon tiene una buena teoría. No se refiere a ella como a una buena teoría, sino como a "mi salvaje y loca hipótesis".

"La forma clásica de hacer que un mamífero viva mucho tiempo —dice él—, es reducirle la dieta en gran medida". La dieta de la que está hablando es la de restricción calórica, que es… Bueno, usted debe acordarse de la restricción calórica. ¿A quién se le podría olvidar la restricción calórica? Solo con pensar en ella se le hace a uno agua la boca.

"No tenemos esa dieta. ¿Entonces por qué vivimos tantos años? A mi edad —él tiene cincuenta y siete años—, los gorilas y los chimpancés están tan viejos que no pueden defenderse contra la enfermedad, su metabolismo ha descendido mucho y

es probable que sus funciones cognitivas estén bastante afectadas. ¿Por qué nosotros envejecemos mucho más despacio y vivimos hasta un cincuenta por ciento más que otras especies que
tienen nuestro tamaño y otras características metabólicas como
las nuestras? Pienso que esto todavía es un misterio. Pero tengo
una hipótesis al respecto.

Creo que tiene que ver con el gran tamaño de nuestro cerebro y con toda esa energía metabólica que consume. Pienso
que internamente nuestro sistema *cree*, por decirlo así, que está
bajo restricción calórica porque el cerebro consume una ración
mayor de energía de la que debería. Creo que, de hecho, nuestro
cerebro ha engañado al cuerpo para que envejezca despacio con
el fin de ahorrar energía.

Otras especies que tienen cerebros muy grandes en relación
a su tamaño corporal tienen la misma característica —mientras
el Dr. Deacon habla, un perrito revolotea a sus pies. El Dr. Jagust
tenía un gato presente en la entrevista, el Dr. Deacon tiene a su
perro—. Solía tener un labrador negro y grande, llamado Max.
Max murió a los quince años, una edad relativamente buena tra-
tándose de un perro grande. Es probable que la pequeña Chel-
sea, aquí presente, viva hasta los dieciocho o diecinueve años.
Los perros pequeños viven más que los grandes y los perros más
grandes son los que tienen la vida más corta".

¿Sabía usted esto? Yo no.

"¿Los perros pequeños tienen cerebros proporcionalmente
más grandes?", pregunté, con lo rápida que soy para aprender.

"*Mucho* más grandes".

"Así que un cerebro de tamaño desproporcionado, en cierto
sentido, emula la restricción calórica".

"Esa es mi salvaje y loca hipótesis. Creo que esta cuestión del
envejecimiento es epifenomenal —un fenómeno que sucede a
la par que otros fenómenos y parece derivarse de ellos—. Y se
mantiene porque nuestros cerebros grandes se mantienen. Creo

que esta consecuencia matusalénica es un regalo gratuito que recibimos por tener un cerebro grande".

Un regalo. Él no está sugiriendo que la evolución nos haya dotado con un cerebro grande *para que* tuviéramos vidas anormalmente largas, sino más bien que nuestras vidas anormalmente largas son una consecuencia accidental de tener un cerebro grande.

Qué regalo.

★ ★ ★

El cerebro puede ser grande, pero la memoria, ¿hace falta decirlo?, no es de fiar. Nuestras propias *neuronas* no son de fiar. Como dice el Dr. Deacon: "Cientos de millardos de esos pequeños sujetos allí dentro… usted sabe, casi todas las señales en el cerebro se originan por oscilaciones metabólicas aleatorias".

Hay dos escuelas de pensamiento sobre la falta de fiabilidad de la memoria.

Una, es que la Madre Naturaleza podría haberlo hecho mejor. Eso es lo que creen muchos futuristas que tienen la esperanza de mejorar el diseño de… *Nosotros*. Sueñan —no el tipo de sueños con castillos en el aire, sino el tipo de sueños con investigaciones en el laboratorio— con construir robots que harán lo mismo que hace el sistema de memoria humano, pero mejor. Mucho mejor.

La otra escuela piensa que hay un método en la locura de la Madre Naturaleza: las imperfecciones del sistema de memoria son el pago que se da a cambio por su eficiencia general.

El sistema tiene una predisposición incorporada escribe Daniel C. Dennett, filósofo de la Universidad de Tufts, en el libro *Romper el hechizo*: "Ha sido diseñado por eones de evolución para recordar algunos tipos de cosas con mayor facilidad que otras. Hace esto en parte por repetición diferencial, conservando lo que es vital y tendiendo a eliminar la trivialidades después de una sola pasada".

Bueno, esto me resulta muy lógico cuando no logro recordar dónde está el Mar de Okhotsk, pero no cuando no puedo recordar dónde está mi billetera.

El psicólogo Daniel L. Schacter lleva el argumento del "pago que se da a cambio" un paso más allá, al proponer en su libro, *Los siete pecados de la memoria,* que las mismas *fallas* de la memoria pueden tener ventajas propias:

"Es sin duda indignante que cuando uno está funcionando en piloto automático uno ponga un libro o la billetera en un lugar desacostumbrado y después no pueda recordar dónde los dejó. Pero suponga que cuando puso allí el objeto usted estaba absorto pensando en cómo reducir los costos en su negocio y se le ocurrió una gran idea que le ahorró un montón de dinero… Cuando podemos desempeñar tareas cotidianas valiéndonos de procesos automáticos quedamos en libertad para dedicarle atención a asuntos de mayor relevancia. Como en nuestras vidas cotidianas a menudo nos valemos de procesos automáticos, el error ocasional por estar distraídos parece un costo relativamente bajo por un beneficio tan grande".

Confieso que al leer esto, se me ocurrió pensar si estos en realidad eran intercambios que nos beneficiaban, o si el Dr. Schacter estaba tratando de buscar algo donde no era necesario buscarlo.

Esta fue la pregunta que le hice en su oficina: "¿El hecho de que se nos olviden el tipo de cosas que olvidamos hace en realidad parte de la eficiencia del programa?".

Él respondió: "Por completo. El sistema está organizado para que haya una garantía casi inherente de que aquello que sea significativo e importante sea lo que tenga mayores posibilidades de ser almacenado y recuperado. Mucha parte depende de lo que usted considere que sean las funciones de la memoria. *La memoria probablemente tiene que ver más con el futuro que con el pasado*".

Esta frase (de nuevo, la bastardilla es mía) me dio la impresión de ser una de esas que *nunca* olvidaré, y le pedí que me diera una explicación más detallada.

"Bueno —dijo—, no creo que conservemos las experiencias pasadas para tener una sensación cálida y evocadora del pasado. Es para ayudarnos a anticipar lo que nos va a pasar a continuación. Desde esta perspectiva, lo importante es conservar la *esencia* de la experiencia, extraer de esta las generalidades que le suceden a uno una y otra vez, aun si la memoria no retiene la totalidad de los detalles. La memoria, sobre todo la memoria episódica, nos ayuda a planear, a pensar, a simular —esta es una palabra que me gusta usar— nos ayuda a simular las posibilidades futuras antes que de hecho ocurran. ¡Creo que esta es una de las razones clave por las que existe la memoria!".

Esta capacidad humana de anticipar lo que se nos espera es para el filósofo Dennett el logro supremo de la especie humana. Dennett habla a una escala global: ser capaces de predecir el clima, las crisis económicas, el estado de las reservas de petróleo con décadas de anticipación, todos pronósticos enormes e imperiosos.

Nuestra capacidad *individual* de anticipar, también es un logro supremo; y depende, por supuesto, de la memoria. Somos capaces de planear para el futuro porque somos capaces de recordar el pasado.

El Dr. Schacter me dio un ejemplo dramático de la relación entre el pasado y el futuro. Él y el renombrado psicólogo canadiense, Endel Tulving, una vez estaban entrevistando a un paciente que tenía una amnesia severa, un hombre que no recordaba nada de su pasado. Schacter le preguntó qué planeaba hacer al día siguiente y "él sólo dibujó un espacio en blanco.

Nada se le ocurría. Era absolutamente incapaz de suministrar cualquier tipo de información al respecto.

Sabe, uno podría pensar: 'Sí, claro, los pacientes amnésicos no pueden recordar el pasado pero pueden pensar en el futuro'. ¿No es así? Pero ¿qué significa pensar en lo que uno va a hacer mañana? En parte, uno tiene que recurrir a los recuerdos de las experiencias recientes: a lo que uno ha estado haciendo, al tipo de cosas que es más factible que haga. Uno tiene que ser capaz de sacar este tipo de información del pasado reciente pues esta le permite pensar en el mañana, en la semana entrante y en el año que viene".

Entonces volvemos al mismo interrogante central: ¿Si la memoria episódica es la que nos ayuda a lograr este asunto extraordinario, por qué causarle molestias?

Y volvemos a la misma respuesta central: "Las cosas que pasan en edades más avanzadas de la vida tienden a verse menos afectadas por las presiones evolutivas que las cosas que pasan en edades más tempranas, antes de la edad reproductiva".

Por ende, de nuevo, volvemos a la misma vieja conclusión: No fuimos diseñados para vivir tantos años.

Pero tome nota: el centro resiste. El sistema funciona. Por más irritante que pueda ser la pérdida normal de la memoria la inclinación del sistema hacia lo que es vital, una tendencia que ha sido incorporado en nuestro ser a lo largo de eones de evolución, permanece intacta.

Es decir, uno puede olvidar *otra vez* dónde dejó los anteojos de lectura, o las llaves del auto, o la billetera, pero uno recuerda muy bien cómo leer, cómo conducir, cómo gastar, ahorrar, contar o preocuparse por aquello que está o no está en esa billetera que no puede encontrar.

Los accidentes ocurren. Somos travesías del accidente. Evolucionamos por azar, en un proceso similar al modelo de memoria del palimpsesto del Dr. Deacon, cada versión de la especie es una capa superpuesta sobre la versión anterior. Es un proceso *evolutivo* hacia una eficiencia mayor —y por eficiencia se entiende la habilidad para procrear y cuidar a los hijos hasta que estén en edad de reproducirse— y en el transcurso de ese proceso hay movimientos sin valor, direcciones erradas, golpes de suerte, todo a ciegas, todo puro azar. Las mutaciones biológicas aparecen de repente sin razones aparentes, la memoria comete, como todos bien sabemos, errores estúpidos (algunos científicos cognitivos los llaman errores inteligentes, que es un pensamiento alentador) y los genes salen a dar caminatas aleatorias.

La expresión *caminata aleatoria* suena como a una caminada despreocupada alrededor de la manzana, pero de hecho es un término de uso científico. Si no hay una ventaja selectiva para algo, los genes simplemente comienzan a dar una caminata aleatoria.

Escuché el término por primera vez de boca del Dr. Deacon de Berkeley: "Permítame darle un ejemplo —dijo—: Usted y yo necesitamos la vitamina C. La obtenemos de las frutas porque somos primates. Los demás animales, en su mayoría, producen su propia vitamina C y lo hacen porque es una molécula vital para proteger al organismo contra el daño oxidativo.

Un grupo de investigadores japoneses publicó un artículo en 1994 que identificó el gen que permitía que las ratas produjeran su propia vitamina C. Luego utilizaron este gen como un detector para buscar el homólogo, o el primo, en términos evolutivos, en otras especies. Pese a que no podemos producir nuestra propia vitamina C se descubrió, para sorpresa de todos, que tenemos un gen *seudo*productor de vitamina C que fue cancelado.

Bueno, es casi seguro que fue cancelado porque hace 35 millones de años nuestros ancestros, los monos y los simios, comenzaron a comer frutas. Entonces, como la vitamina C pasó a estar siempre disponible, el gen que la producía dejó de ser importante. Fue así como se comenzaron a acumular defectos en el linaje. Y cuando un gen comienza a sufrir una cantidad suficiente de daño al azar es imposible repararlo porque la reparación también tendría que hacerse de manera aleatoria.

La caminata aleatoria significa que uno empieza en un sitio determinado, en este caso una secuencia específica del ADN y simplemente comienza a apartarse de ese sitio. Al principio puede que no haya habido desventajas significativas. Se dieron unas pocas mutaciones en el gen que no alcanzaron a destruir su función. Pero con el tiempo, uno (el gen) se alejó más y más. A veces se le denomina la caminata del borracho: comienza en un lugar y sigue deambulando al azar y se aleja cada vez más del lugar de partida.

El concepto de caminata aleatoria es característico de lo que observamos cuando la selección natural se detiene. Esto fue lo que ocurrió en este caso porque estábamos obteniendo vitamina C *del exterior*. Entonces los genes comenzaron a acumular mutaciones aleatorias, con el tiempo dejaron de trabajar y terminamos teniendo un seudogen".

¡Desde el exterior! Creo que esto hace surgir una pregunta inquietante. No es que me desvele, pero sí me inquieta.

Cuando estoy atascada en la mitad de un crucigrama porque olvidé (si es que acaso me la sabía) la palabra latina para *codo* o el nombre de la esposa de Teodoro Roosevelt, consulto Google. Es decir, obtengo la respuesta *del exterior*. (En pocas palabras, hago trampa.)

Mi pregunta es: ¿Es posible que muchísimo más adelante, las células cerebrales vayan a comenzar a deambular, a dar una caminata aleatoria, a perderse, a irse al infierno y a convertirse en seudocélulas porque nuestros descendientes obtendrán sus recuerdos *del exterior*?

Los futuristas están trabajando en esto, como veremos ahora.

CAPÍTULO DIECISIETE

Más allá de la generación del bótox
LA MEMORIA Y EL MAÑANA

Lo más curioso de todo era que los árboles y las otras cosas que las rodeaban nunca cambiaban de lugar: por más rápido que fueran, nunca parecían rebasar nada (…)

"¿Ya casi llegamos?", preguntó Alicia jadeando.

"¡Ya casi llegamos! —repitió la Reina—. ¡Vaya, si hace diez minutos que lo pasamos! ¡Más rápido!".

—Lewis Carroll, *A través del espejo*

AMIGO, ESTO NO RESULTÓ ser como se suponía que iba a ser. Por allá en 1970, en la Edad de Piedra de la tecnología, el escritor futurista Alvin Toffler predijo que para el año 2000 todos estaríamos trabajando menos, más relajados, tumbados en hamacas tratando de imaginar qué hacer con todo ese tiempo libre.

Eso no fue exactamente lo que pasó. En lugar de esto se dio la globalización económica. El paso de la competencia se aceleró y se transformó en un galope. La gente se encuentra trabajando más, relajándose menos, quejándose sin cesar de no dormir lo suficiente —la queja endémica en los Estados Unidos— y que tienen que ir más rápido solo para estar al día.

Es lo que los biólogos evolucionistas llaman el Principio de la Reina Roja cuando hablan de la presión ejercida sobre las especies que compiten para sobrevivir. En *A través del espejo*, Alicia y la Reina Roja corren de prisa pero no llegan a ningún lado. Alicia está aturdida, pero la Reina le explica: "Es necesario correr tanto como uno pueda para permanecer en el mismo sitio. Si quieres ir a algún otro lado ¡debes correr por lo menos dos veces más rápido!".

¿Y de aquí, hacia dónde irá? ¿Esa carrera incesante por el éxito se desacelerará o se acelerará más aún? Esta es una pista muy muy grande: en ese mismo año de 1970, según la Oficina del Censo, la mayoría de los estudiantes universitarios de primer año afirmaban que su principal meta personal era "desarrollar una filosofía de vida que fuera valiosa".

En 2005, de acuerdo al resumen estadístico de 2007 de la Oficina del Censo, la mayoría de los estudiantes universitarios de primer año afirmaban que su principal meta personal era "ser muy prósperos económicamente".

Hemos llegado muy lejos, cariño.

"Hablo con muchos *boomers* —me dice el neurólogo Adam Gazzaley en su oficina en la Universidad de California, en San Francisco, en donde es el director del Laboratorio de Imaginología de Neurociencia—. Para los *boomers* conservar la agudeza mental durante más tiempo significa mucho. Algunos de ellos acaban de cumplir sesenta años y quieren seguir trabajando. Quieren competir. Están tratando de competir con personas de treinta años y de mantener el cerebro saludable para poder desempeñarse a un nivel cognitivo que les permita seguir siendo competitivos, esto en realidad es muy importante para ellos".

No es fácil competir con gente de treinta años cuando para uno ya resulta difícil desempeñar varias tareas a la vez; recordar los nombres que le corresponden a esas caras nuevas (bebés) en la oficina; y encontrar las notas de la reunión de ayer, lo que no será de mucha ayuda puesto que tampoco ha podido encontrar los anteojos.

Todo un dilema, ¿qué se puede hacer?

"Puede reducirse a algunos tipos de intervenciones —dice el Dr. Gazzaley—, algunas formas potenciales con las que podamos mejorar esas habilidades que sabemos cambian en la medida en que el cerebro de la gente cambia al envejecer".

Intervenciones: Se refiere a herramientas externas a nosotros mismos para mejorar nuestro diseño mortalmente imperfecto.

Se refiere a que lo que la Madre Naturaleza no ha hecho por la memoria, aún puede hacerlo la tecnología.

Claro está que las intervenciones ya abundan. Tenemos intervenciones para rehabilitar casi todas las partes del cuerpo humano. Está el bótox para la frente arrugada. Está el Rogaine para la calvicie. El Viagra para el pene renuente. Está lo que llaman, de manera detestable, el Viagra *rosado*, para hacer por el deseo de la mujer lo que el Viagra hace por el del hombre. (Sin embargo, hasta el momento en que esto fue escrito no había salido al mercado porque no sirve, y no sirve porque la excitación sexual de la mujer funciona de un modo diferente a la excitación masculina. Los fabricantes de drogas invirtieron muchos años, y sólo Dios sabe cuántos dólares destinados para investigaciones, para descubrirlo. Una lástima, cualquier mujer se los hubiera podido decir.)

Tenemos intervenciones quirúrgicas estéticas para el rostro, el cuello, las orejas, los brazos, las piernas, los senos, el abdomen, las nalgas, los genitales (no pregunte), para todo. Así que ya va siendo hora de ocuparse del cerebro.

Vivo cerca del Parque Central de Manhattan, lo veo desde las ventanas de mi apartamento, veo a la gente trotando sin cesar alrededor del lago bajo un aguacero o un calor infernal, no importa qué clima haga. En zonas cercanas al parque, paso por los gimnasios. Me asomo por las ventanas y veo a la gente con la cara roja haciendo ejercicios en la bicicleta estática y en la elíptica, todos ocupados, todo el día y toda la noche. Muchos de ellos, si no la mayoría, parecen estar entre los cincuenta y sesenta años. A veces me pregunto: ¿quiénes son estas personas? ¿No trabajan?

Es probable. Pero uno siempre puede sacar tiempo para lo que *de veras, de veras* quiere hacer.

Hemos sido, durante más de tres décadas, una cultura enloquecida con el ejercicio físico. Ahora parecemos estar en el vértice de un enorme cambio cultural. No es que la manía del acondicionamiento físico esté decayendo, sino que la manía del acondicionamiento/salud mental le está dando alcance. En el campo de la salud, como en cualquier otro, las modas vienen y van, están *in* en una época y *out* en la siguiente como el largo de las faldas. Estamos entrando, o ya lo hemos hecho, en una era enloquecida con el ejercicio mental; aunque lo que tenemos hoy en día probablemente no es nada comparado con lo que tendremos en el futuro. Veo cuatro razones para ello. Debe haber otras, pero estas cuatro me parecen las más convincentes:

1. La gran revolución generada por la tecnología de la tomografía cerebral que hace posible que los expertos en neurociencia vean el funcionamiento del cerebro y exploren la forma de hacerlo trabajar mejor.
2. El temor de la generación del *baby boom* a la demencia y su obsesión por conservar la agudeza mental.
3. Los ingresos disponibles: la generación del *baby boom* lo tiene y lo gasta; controlan el setenta por ciento de la riqueza del país y gastan más que ninguna otra generación en la historia.
4. Las ganancias: el talento absoluto del complejo industrial de la salud para ganarse, donde y como sea posible, un dólar.

Combine las cuatro y no forman la palabra Mamá. Forman la palabra Industria Antienvejecimiento.

A donde vaya la neurociencia, el comercio la seguirá. Así que teniendo presentes los riesgos de las predicciones veamos hacia donde *parece* que va la neurociencia.

Estas son las intervenciones del mañana:

El ejercicio mental: Programas interactivos de computador hechos a la medida de las necesidades individuales. Las estrategias antiguas enseñaban cómo *compensar* la pérdida de la memoria que los cambios cerebrales relacionados con el envejecimiento producen. Las estrategias nuevas tienen como meta la *rehabilitación* del cerebro. Usted puede comenzar el día haciendo una rápida y dinámica sesión de ejercicios cerebrales en su computador antes de salir para la oficina.

"Píldoras inteligentes": Medicamentos para mejorar la memoria y la función cognitiva general a través del estímulo químico de los sistemas de neurotransmisión del cerebro.

Procedimientos invasivos: Diversas manipulaciones eléctricas y químicas para aguzar los buenos recuerdos, mitigar los malos y hasta para —¿está preparado?— dejarlo con recuerdos magníficos de experiencias que nunca vivió en la realidad.

Intervenciones genéticas: Manipulación de genes asociados a la memoria. Todavía están en la fase inicial de planeación, sin embargo, se han llevado a cabo bastantes experimentos genéticos exitosos en ratones de laboratorio.

Transplantes cerebrales: Un chip de computador implantado en la cabeza, en el que uno puede descargar... Cualquier cosa.

Esto quiere decir, de hecho y en la realidad, que usted cuenta ahora con un sistema de copia de seguridad para la memoria.
Fantástico.

Primero, hablemos del ejercicio cerebral, este también recibe el nombre de entrenamiento cerebral, calistenia cerebral, acondicionamiento mental, entrenamiento cognitivo, rehabilitación cognitiva y demás. No es necesario esperar el mañana. Un precursor más o menos rudimentario, ya está aquí, ineludiblemente.

Desde hace muchísimo tiempo han estado en circulación juegos de vídeo y de computador que desafían la mente, pero no habían sido comercializados como *terapéuticos*, y sin duda alguna no habían sido comercializados en nuestra segmento demográfico. Después, hace varios años, aparecieron un par de estudios que tuvieron una amplia difusión y que señalaban que los ejercicios de entrenamiento de hecho podían mejorar la memoria de la gente con pérdida normal de la memoria, relacionada con el envejecimiento.

Súmele a esto una estadística que se le ocurrió a algún estadístico anónimo: *Cada ocho segundos un baby boomer cumple cincuenta años*. ¡Otro olvidadizo se une al club!

Bueno, ya se lo puede imaginar. La combinación de esos estudios con esa estadística creó un clima de oportunidad que ningún fabricante de juguetes y/o de juegos, en sus cabales, podía desperdiciar. De repente tuvieron un mercado nuevo inmenso: ¡nosotros!, y lo que empezó como una tendencia, se transformó de prisa en furor.

La revista *Time* en un informe de enero de 2007 titulado *Un nintendo para la abuela*, observó: "El grupo de los mayores de 50 años es un mercado en gran parte desaprovechado y potencialmente lucrativo; y las compañías de juguetes y de juegos de azar están comenzando a cortejar a la generación del *baby boom* con productos que aducen que ayudan a aguzar la memoria y las destrezas cognitivas".

El tema de primera página de *The New York Times* en diciembre de 2006, acrecentado con sutileza: "La ciencia aún no está segura, pero en todo el país están apareciendo de repente programas para la salud cerebral que ofrecen la posibilidad de una fuente cognitiva de la juventud".

Edad cerebral, Estímulo cerebral, Entrene el cerebro, Ame su cerebro, Acondicionamiento cerebral, Mente sana, Neurona feliz, Juegos cerebrales geniales, Academia Gran Cerebro... La Red fue invadida de prisa con vídeo juegos y programas. Se instalaron "centros de acondicionamiento cerebral", "gimnasios para el cerebro" y "talleres para el cerebro" en centros comunitarios, en programas de hospitales, centros para adultos mayores, comunidades para jubilados, residencias con servicios para ancianos, casas de reposo y hasta en el ámbito comercial las empresas inauguraron programas de ejercicios mentales para los empleados (por ahora, voluntarios, el día de mañana, ¿quién sabe?).

Por parte de Nintendo, el fabricante de Pokemon, llegó *Brain Age (Edad cerebral)*: ¡Entrene su cerebro con unos minutos al día! (600.000 unidades vendidas en los primeros ocho meses.) Basado, según se nos dijo, en el estudio de un japonés experto en neurociencia. Por parte de Mattel, el fabricante de la Barbie, llegó *Brain Games (Juegos cerebrales),* basado, según se nos dijo, en el estudio de un psiquiatra de la Universidad de California (que recomienda sus propias "estrategias pioneras" para mejorar la memoria; aunque en esencia estas estrategias pioneras parecen tener por lo menos dos mil años.)

Todo lo que se nos dijo estaba basado en la investigación de algún científico. El problema fue planteado de un modo muy claro por uno de los directivos de la Sociedad Estadounidense del Envejecimiento: el reto que tenemos es que va a ser muy similar a la industria antienvejecimiento, ¿qué tanta ciencia hay detrás de esto?

Buena pregunta.

El estudio más grande del país sobre ejercicio mental reseñado en la *Revista de la Asociación Médica Estadounidense* había demostrado que ejercitar la memoria con tareas tales como recordar listas de palabras y detalles de historias, de hecho sí tenía efectos. Al hacer los ejercicios para la memoria, las personas entrenadas adquirían mayores destrezas para llevar a cabo los *ejercicios para la memoria*. Pero la evidencia de que esas destrezas se tradujeran en una mejora general de la memoria en la vida cotidiana, era poca. Además, ningún entrenamiento de este tipo puede ayudar a prevenir la demencia.

"¿Se puede mejorar la memoria con entrenamiento? La respuesta es un *sí* rotundo —me dice el Dr. Barry Gordon de Johns Hopkins—. Sabemos eso. Lo que desconocemos por completo es qué tan lejos lo llevará a uno en el juego de la vida ejercitar una función mental con un juego de computador. Es probable que el tipo de ejercicio mental que uno tendría que hacer para mejorar realmente la función del cerebro sería tan agotador y generalizado que la gente no lo consideraría un ejercicio. Lo verían como una forma de vida".

La Dra. Elizabeth Edgerly, una psicóloga clínica que trabaja en la Asociación de Alzheimer, le dijo a *The New York Times*: "En general, para uno es bueno hacer todas estas cosas. ¿Que si tengo inquietudes? Sí. Somos muy cuidadosos. ¿Esto significa que podrá recordar dónde dejó las llaves del auto? No podemos afirmarlo".

En otras palabras. Sí, por supuesto, haga los ejercicios de entrenamiento cerebral si quiere. (O diseñe los suyos. Algunos fabricantes enfatizan el hecho de que los productos que venden "ejercitan diferentes funciones cerebrales". También la lectura de un buen libro lo hace.) Hágalos porque los disfruta. Hágalos porque lo hacen sentir más brillante. Hágalos porque lo hacen sentir orgulloso. Hágalos porque *quizá* en verdad pueden ayudar —igual que con los suplementos alimenticios, el jurado todavía delibera— y con seguridad no hacen daño. Eso sí, no los haga esperando recordar dónde dejó las llaves del auto o los lentes, así no se sentirá decepcionado.

Buena parte de las cosas que están ahora en el mercado son poco serias, vídeo juegos con retoques que en su mayoría no han sido probados con base en estándares científicos. Pero algunas compañías de software para computador han estado trabajando con laboratorios como el del Dr. Gazzaley en el desarrollo de programas de ejercicios con interacciones cada vez más sofisticadas entre el cerebro y el computador, y los resultados iniciales son prometedores. Él explica cómo funciona esta interacción:

"El cerebro está conectado con la información que registramos, por lo tanto podemos ver segundo a segundo lo que está ocurriendo dentro de este mientras la persona interactúa con el mundo visual. Si el mundo visual es un ejercicio de entrenamiento cognitivo podemos ver el efecto de esta interacción sobre el cerebro, o sea, la forma como cambia el funcionamiento cerebral normal con el ejercicio de entrenamiento. Ingresamos esa información en un software. Así que el computador está aprendiendo directamente cómo actúa el cerebro de uno y de manera automática se ajusta a sí mismo para afinar ese proceso cerebral".

Los investigadores también están haciendo ajustes. Todavía no logran entender con precisión cómo podrían funcionar estas interacciones entre el cerebro y el computador, porque no entienden con precisión cómo funciona la memoria. Pero la gran cantidad de estudiosos que entrevisté está segura de que el futuro de la rehabilitación de la memoria radica en los programas de entrenamiento con computador y en lo que se llama de manera muy delicada, la intervención farmacológica.

¿Qué son las "píldoras inteligentes", exactamente?

Resulta que el *exactamente* es más engañoso de lo que podríamos pensar, en este asunto las "fronteras son porosas", así las describe el Dr. Gazzaley:

"Una droga que lo mantiene a uno despierto y alerta, o una droga que le produce sueño si tiene problemas para dormir para que pueda desempeñarse mejor al día siguiente: ¿es una droga inteligente? Si uno tiene una depresión y se la tratan dejará de estar deprimido, podrá concentrarse mejor y estará más 'inteligente'. ¿Esto convierte a un antidepresivo en una 'droga inteligente'? De cierto modo, sí. Pienso que cualquier cosa que de alguna manera mejore el bienestar, podría ser considerada una 'droga inteligente'".

Según esa definición ya todos estamos hasta el cuello de drogas inteligentes; mire cualquier campus universitario. Pero si estas hacen que uno sea "más inteligente", lo hacen de manera accidental. Las nuevas píldoras que podrían ser tan comunes como la aspirina de aquí a 2018, ó mucho antes, son otra historia. Estas tendrán el objetivo específico de hacerlo a uno más inteligente mejorando la memoria y la función cognitiva general. Probablemente harán esto estimulando químicamente, o también podría decirse, recargando los billones de conexiones entre millardos de redes neuronales que se debilitan en el curso normal del envejecimiento.

En teoría, estas píldoras serían estrictamente para uso terapéutico. A las casas farmacéuticas no les gusta mencionar el prospecto del uso cosmético, a menudo llamado neurología cosmética. La razón por la cual no les gusta hablar sobre esto es que la Administración de Drogas y Alimentos solo aprueba medicamentos para tratar enfermedades, no para mejorarle aún más las condiciones a la gente sana.

Esto propicia una especie de juego encubierto, como en el caso manifiesto del Viagra. Así lo observó *The New York Times*:

"La Pfizer siempre ha tenido una posición ambigua frente a la comercialización del Viagra, insiste en que el medicamento sirve para tratar una enfermedad médica seria, la impotencia, y que merece cobertura por parte del seguro, mientras que a la vez anuncia el medicamento con comerciales de doble moral que irritan a los reguladores".

En cuanto a las drogas inteligentes, las casas farmacéuticas harán hincapié en que son ayudas para la gente que tiene daños cognitivos significativos. Sin embargo, este es un terreno demasiado resbaladizo; todo el mundo sabe que cuando estas píldoras estén disponibles, si pueden hacer que la gente que tiene una mente aguda pueda aguzarla aún más, este tipo de gente querrá usarlas y lo hará con avidez.

Nadie (bueno, casi nadie) está en desacuerdo en usar medicamentos cuya seguridad esté demostrada, en personas que necesitan ayuda; y la esperanza más grande es, por supuesto, que se cree una droga para curar o tratar el Alzheimer. Pero este asunto del uso *cosmético* ha hecho surgir interrogantes que han desatado una tormenta de debates dentro de los círculos profesionales: ¿es ético? "¿Se podría tomar gente que funciona a un nivel completamente bueno y hacerla más 'inteligente'? Eso es lo que no está claro", dice el Dr. Gazzaley.

Y, yendo más lejos, ¿lo que hoy en día es un "nivel completamente bueno" estará a la altura de las expectativas el día de mañana? Escucho el eco de ese comentario del Dr. Norman Relkin, jefe del Programa de Desórdenes de la Memoria en la Universidad de Cornell: "Se afirma que lo que es normal en una generación se transforma en la siguiente en patología y en enfermedad. Esta cosa que ahora llamamos olvido normal probablemente no será aceptable en una o dos generaciones más".

¿Y qué pasará con la gente que no quiere tener nada que ver con químicos, ni para ellos ni para sus hijos, ¿quedarán en desventaja? *Trágate una pastilla, obtén un ascenso, saca una nota sobresaliente en el examen. No te la tragues y quedarás atrás.*

¿Y qué pasa con las "píldoras para el olvido", para recuerdos emocionales dolorosos? Sería bueno deshacernos de estos, pero, ¿a qué costo? Los recuerdos, después de todo, hacen que seamos lo que somos. Imagínese el terreno resbaladizo de este escenario: ¿siente un pellizco de vergüenza, una pizca de remordimiento, una brizna de envidia, de tristeza o de arrepentimiento? *No hay problema*, amigo. Tráguese una píldora.

"A veces quisiera tener una de esas pastillas —dice la neuróloga Judy Illes. Es profesora en la Universidad de British Columbia y antes dirigía el programa de neuroética en la Universidad de Stanford, y tiene una participación destacada en el debate ético—. La tentación de acelerar mi eficiencia para hacer todo lo que debo hacer es enorme. Sin embargo, después pienso: '¿Si lo hago, entonces cuándo voy a ser yo?'.

Los retos empiezan con los interrogantes sobre la identidad. Pero además la seguridad, un acceso equitativo a este tipo de recursos para gente de todas las condiciones sociales, y la pregunta intangible, pero ineludible, sobre el valor del trabajo duro y la autenticidad, son todos factores que hacen del mejoramiento una plataforma polémica para el debate".

En cuanto a la seguridad, ¿qué tal si resultara que engañar a la Madre Naturaleza no sólo *no era bueno*, sino desastroso? ¿Podría ser que los medicamentos mejoraran una función vital de la memoria a expensas de otra, o que atiborraran el cerebro con las banalidades que antes estábamos programados para ignorar?

Le envié un correo electrónico con estas preguntas a Terrence Deacon poco después de entrevistarlo en la Universidad de California, Berkeley, y él me respondió: "Siempre hay que dar algo a cambio; el poder de la selección natural radica en que tiene en cuenta la totalidad del funcionamiento integrado de un organismo para hacerlo evolucionar, y no solo una función. Si perturbamos el equilibrio se corren riesgos a no ser que comprendamos cómo funciona todo el sistema".

Pero ninguno de los interrogantes suscita más revuelo a nivel ético que este: ¿en una sociedad en la que la brecha entre los que tienen y los que no tienen cada vez es más amplia, la nueva generación de píldoras inteligentes no será otra forma de ampliarla aún más?

Cuando esas drogas salgan al mercado podemos estar seguros de que serán, por lo menos al principio, muy costosas. También podemos estar seguros de que los *boomers* solventes que tengan pérdida normal de la memoria harán fila para comprarlas, al igual que sus hijos, solo para conseguir ese margen extra. Así mismo lo harán hordas de padres jóvenes que querrán que sus pequeños estén preparados para competir por un puesto en los mejores jardines infantiles, lo que los llevará a la mejor escuela intermedia privada, lo que los llevará a la mejor universidad lo que los llevará a...

Pero uno sabe a dónde los llevará. Siempre ha sido la misma vieja historia, el principio de la Reina Roja, sin lugar a dudas.

Muchos científicos asumen una posición por completo pragmática: sus investigaciones pueden crear un producto que le brinde ayuda a personas que la necesitan con urgencia. Si además llega a hacerse un uso cosmético de estos productos, pues bien, de todos modos la realidad en esta sociedad es esa: la gente que tiene dinero tiene ventajas, ¿qué hay de nuevo en eso? Si no prohibimos el uso cosmético en el cuerpo, ¿cómo vamos a discriminar el cerebro?

Preguntas difíciles, muy difíciles. ¿Pero, será que algunos de ellos bloquearán el avance de la neurología cosmética?

¿Lo dice en broma?

La gente que recurriría con entusiasmo a las píldoras inteligentes podría sentirse menos entusiasmada con los procedimientos invasivos tales como:

Activadores eléctricos que se insertan debajo del cuero cabelludo para suministrar una estimulación continua, y por lo tanto, teóricamente, ayudar a la memoria. Este procedimiento se usa en la actualidad para tratar la depresión y he escuchado que en algún lugar del enmarañado corazón de Manhattan hay un cirujano que lo utiliza para la memoria y de paso también ofrece servicios de masajes y *pedicure*. No lo verifiqué. No soportaba saberlo.

Manipulaciones quirúrgicas para mejorar los cerebros envejecidos (un cirujano los llama, con desenfado, levantamientos cerebrales).

Y la atractiva posibilidad de que un día se podrá implantar en el cerebro, por medio de una inyección química directa, un recuerdo totalmente artificial.

¿Qué tipo de recuerdo? Pues, el que prefiera. Elíjalo en el menú: romance, drama, acción, misterio, comedia…

Suena como pura ciencia ficción, pero mucha parte de la ciencia ya no es pura ficción. Algunos investigadores en el Instituto de Tecnología de Massachusetts (MIT, por sus siglas en inglés) que han estado trabajando en la manipulación de la memoria en ratones especulan que algún día un hombre tendrá la posibilidad de ordenar el recuerdo de haber pasado una noche celestial con Marilyn Monroe. Lo llaman el experimento Marilyn Monroe. Lo podrían llamar como les venga en gana, pero no veo razón para que los límites de su pensamiento los constriñan. Yo lo llamaría el experimento George Clooney. *Eso sí* que es una intervención.

Cada vez más y más, la memoria se está volviendo externa. Casi toda la generación del *baby boom* terminará siendo en parte humana y en parte máquina.

—Rodney Brooks, Profesor Panasonic de robótica, Instituto de Tecnología de Massachusetts

Casi me caigo de la silla cuando él dijo esto. Pero, claro, el mañana es hoy en el MIT.

Cuando nos conocimos, Rodney Brooks era el director del Laboratorio de Ciencias de la Computación e Inteligencia Artificial del MIT. Poco después renunció a la dirección para dedicarse de lleno a la investigación en robótica. Brooks trabaja, como corresponde, en un edificio espectacular diseñado por el arquitecto californiano Frank Gehry. Este le hizo a la chimenea una salida de humo a través del techo abovedado y le dijo: "Cuando se te ocurra una gran idea, envía un espiral de humo blanco".

Brooks, la persona más destacada en el área de la inteligencia artificial o IA, como la llamamos los aficionados, podría enviar una señal de humo a diario. Tengo en frente a este australiano transplantado, amable, relajado, al parecer un individuo tan realista como el mayor de los realistas, y de pronto despega y comienza a describir lo que hacen bajo este techo y lo que quieren hacer y todo parece de otro planeta. O al menos así le suena a una terrícola como yo.

Una gran parte de lo que hacen aquí es enfrentar las consecuencias de nuestras acciones, hablando desde la perspectiva demográfica: la realidad de que cada vez más personas van a vivir más y más años mientras la tecnología les sigue dando más y más cosas para recordar (piense sólo en los códigos de acceso, las contraseñas) y por lo tanto más y más para olvidar.

Brooks y su equipo están buscando maneras de ayudarnos a enfrentar este volumen inabarcable de información. "Cómo darle sentido. Cómo buscar algo, cómo encontrarlo, cómo recordarlo: cómo vivir en un mundo con toda esta información, de una forma que no sea confusa, que sea coherente y que haga que la vida sea mejor".

¿Y cómo hacemos esto? ¿Qué significa que cada vez más y más la memoria se esté volviendo externa?

"En los viejos tiempos —dice—, uno tenía que guardar todo en la cabeza. Toda la historia era oral. Luego llegaron los libros y la gente no tenía que recordarlo todo. Después, en el siglo veinte, con el aumento de los periódicos y el precio más asequible de los libros, la expectativa de cuánto necesitábamos guardar en la cabeza cambió por completo. Uno lo tenía en casa. Ahora hay tanto material disponible de inmediato en la Red que sentimos que ya no es necesario tener esa información en casa. Antes solíamos consultar una enciclopedia —todavía en mi casa lo hacemos. Allí están los veintitrés volúmenes, una formación noble y antidiluviana, sobre una repisa en el estudio. Consultamos Google y nos asombramos antes las maravillas que ofrece, pero resulta muy agradable tomar uno de esos volúmenes, sentir su peso, pasar las hojas, acariciar el fino papel que se está amarilleando. ¿Cuánto placer táctil hay en la pantalla de un computador?—. En la actualidad todos estamos consultando cosas en Google a toda hora. Lo que debía caber en mi cerebro ahora simplemente es demasiado voluminoso, entonces lo saco de la Red. Y creo que estas herramientas que usamos son bastante primitivas comparadas con lo que pueden llegar a ser en el futuro, a donde *espero* que lleguen".

Brooks me habla sobre un colega, el más acérrimo de los futuristas, que cree que en veinte años podrá descargar su propia conciencia, es decir, hasta el último pedacito de memoria que tenga enterrado en su interior, en una máquina.

"Creo que va demasiado lejos —dice Brooks con cariño—, pero él lo cree. Así que tiene que seguir una dieta y una forma de vida saludable y vivir el tiempo suficiente para descargar su salvación eterna. ¡Esta es la vida eterna para los ateos!".

La visión que tiene Brooks del mañana sigue dos vertientes fundamentales de investigación: la ciencia de la computación (se refiere básicamente a los implantes cerebrales) y la IA (se refiere básicamente a los robots).

En cuanto a los robots, sostiene con pasión un punto de vista muy difundido entre los futuristas. Uno podría calificarlo de emocionante o aterrador, pero nadie podría calificarlo de tedioso. En esencia: los seres humanos son máquinas hechas de moléculas, y por lo tanto debe ser posible, *en principio*, que es una expresión que Brooks recalca mucho, hacer robots de moléculas sintetizadas. Robots con inteligencia y sentimientos. Robots con un sistema de memoria humano (pero mejorado) incorporado. El mejor sistema de copia de seguridad para la memoria.

"¿Es posible sintetizar todas las moléculas de las que estamos compuestos?", pregunté.

"Creo que es muy factible que seremos capaces. La pregunta es si seremos capaces de unirlas en la forma correcta, si seremos lo suficientemente listos para hacerlo".

"¿Y si pudieran, a esta máquina se le podría incorporar la inteligencia emocional?".

"Por supuesto, en principio".

"¿Cree usted que esta podría disfrutar como disfruto yo ahora, por ejemplo, al escucharlo a usted?".

"Espero que sí. La ciencia nos ha estado derrotando durante los últimos mil años. La ciencia sigue menoscabando esa creencia que tenemos de ser especiales. ¿De qué se trataba la polémica con Galileo? Bueno, en parte, sobre la idea de que Dios hizo el mundo para *nosotros*. La Tierra era el centro del universo. Galileo dijo: 'No, no, ¡nosotros giramos alrededor del sol!'. La gente respondió: '¿Alrededor del sol? ¡No puede ser cierto! ¡Eso es terrible!'. Ahora decimos: '¿Somos parte del reino animal? ¡No puede ser cierto! ¡Somos especiales!'.

Cuando Garry Kasparov el campeón de ajedrez fue vencido por *Deep Blue*, la máquina de IBM, ¿recuerda lo que dijo? Dijo: 'Bueno, al menos no *disfrutó* mi derrota'. Esa máquina fría y calculadora no podía disfrutar como *él* lo hacía. Así que usted me pregunta: '¿Cree usted que un robot podría disfrutar el escucharlo, como *yo* lo disfruto?'. Sabe, queremos ser especiales".

En ese momento, tomé un gran riesgo:

"¿Me perdona una impertinencia?".

"Por supuesto".

"Está en la cama con su esposa".

"Sí".

"Están haciendo el amor".

"Sí".

"Usted alcanza un orgasmo".

"Sí".

"¿Cree usted que, *en principio*, un computador sería capaz de reproducir esa experiencia?".

"¿En principio? ¡Sí! Puede que mi esposa no desee tenerlo junto a ella en la cama, pero... ¡Sí!".

En el Laboratorio de Robótica Humanoide un grupo de robots que no parecen ni humanoides ni robotizados, sino un armatoste de Rube Goldberg, les da la bienvenida a los visitantes: Las imágenes anteriores que tengo de robots provienen de Hollywood exclusivamente, estos son una gran sorpresa.

Tal vez tienen dos pies de altura y prolongaciones que en líneas muy muy generales equivalen a la cabeza, el torso y las extremidades. La infinidad de piezas que los conforman están por completo expuestas: engranajes, cables, resortes, motores, tableros de circuitos, alambres y otras cosas eléctricas y mecánicas, parecen una ensambladura armada en alguna ferretería lunar. No se ha hecho ningún esfuerzo por hacerlos de alguna manera con aspecto humanoide, excepto por uno que tiene un rostro caricaturesco de bebé sonriente y un letrero debajo que dice: "Hola, mi nombre es Mertz. Por favor interactúa conmigo. Estoy tratando de aprender a reconocer diferentes personas".

Brooks tiene una lista de cosas que desearía que sus robots tuvieran:

"La primera cosa que quiero es la capacidad para reconocer objetos que tiene un niño de dos años. Porque un niño de esa edad puede entrar a un lugar en el que nunca antes había estado, mirar objetos que nunca antes había visto, y nombrarlos.

Segundo, las destrezas lingüísticas de un niño de cuatro años.

Siguiente, la destreza manual de un niño de seis años. Un niño de seis años puede atarse los cordones de los zapatos y hacer todo lo que un obrero en una fábrica tiene la destreza manual de hacer.

Y además, la comprensión social de un niño de ocho años. Un niño de esa edad puede diferenciar entre lo que una persona dice y lo que esa persona cree".

"¿Y qué pasa con la capacidad de tener una memoria, ser capaz de retener y de recuperar información?", pregunté, y por su expresión, se me hizo evidente que yo no había entendido.

"Bueno, *todo* eso lo necesita el niño de dos años", dice.

"¿Entonces toda la lista de deseos da por sentada la memoria?"

"¡Claro!".

Mertz sigue sonriendo.

Llegue o no a ser alguna vez realidad un robot con un sistema de memoria humano, sin duda alguna no lo será para *nosotros*. ¿Pero y los implantes cerebrales? Esos están en el futuro inmediato.

Brooks comienza despacio: "Uso un iPod como dispositivo de memoria; un iPod de cuatrocientos dólares. En 2003, por esos cuatrocientos dólares uno compraba un iPod de diez gigabytes. En 2004 uno de veinte gigas, en 2005 uno de cuarenta gigas, en 2006 uno de ochenta gigas. Cada año se duplica. Para el año 2013 toda la Biblioteca del Congreso cabrá en un iPod. Para el año 2020 todas las películas y todos los programas de televisión que se hayan hecho cabrán en un iPod. Podremos llevar en el bolsillo toda nuestra memoria pasada de entretenimiento. La gente de mi edad —él tiene cincuenta y tres años— estará rememorando cosas como: '¿Y qué tal esa vez que Lucy le dijo a Ricky...' y podremos encontrar ese episodio específico en nuestro iPod".

Esto es una memoria externa bastante impresionante. ¿Pero qué hace a favor de nuestra memoria *interna*, ya demasiado usada, además de aligerarle la carga?

"Está bien, ahora pongámonos un poco raros —dice Brooks—. Hay cien mil personas en el mundo hoy en día que tienen chips en la cabeza porque se quedaron sordos y se les hizo un implante coclear. Un computador en la cabeza se conecta con los nervios del oído y pueden oír de nuevo. Se han hecho estudios sobre la degeneración de la mácula y algunas pocas personas tienen ahora chips implantados en la retina y otros tienen cámaras externas conectadas a chips implantados en la corteza visual.

Puedo imaginar que, dentro de los próximos veinte años, habrá más tecnología de este tipo que nos dará acceso a la memoria. En este momento recurrimos al computador y a Google para obtener la información que necesitamos. Pero imaginemos que en el futuro bastaría con *pensarlo*. Imaginemos que al tener conexiones en nuestros centros de lenguaje y un buscador virtual de Internet en la corteza visual, bastaría con pensar lo que queremos buscar y los resultados aparecerían en nuestra mente, del mismo modo que la gente *oye* sonidos porque tiene un computador conectado a un micrófono que está implantado en el cerebro.

Cuando hablo de esto, la gente dice: 'Oh, no, esto solo lo haría una persona sorda porque quiere volver a oír. La gente no se pondría un chip en el cerebro *sin necesidad*'. ¿Sabe lo que les contesto? Respondo: '¡Bótox!' Usted sabe, la gente haría *cualquier* cosa".

Tengo un pariente experto en informática que solía ser una base de datos ambulante sobre cine internacional. Hace poco me dijo: "Siempre tuve una memoria extraordinaria para las trivialidades. Era capaz de acordarme de quién era el tercer director de *Lo que el viento se llevó*. Ahora simplemente lo busco. En el trabajo, ya nadie toma notas sobre los artículos científicos. Solo buscamos en Google y encontramos lo que deseamos. Esto es maravilloso, pero el lado negativo es lo que le pasó a mi memoria. Ya no es tan buena como antes".

Bueno, a mí me encanta buscar en Google. Me fascina. Mi mente se queda atónita al pensar cómo se metió toda esa información allí *dentro*. Pero hay una pregunta que me inquieta y he estado ocupada durante tanto tiempo con este asunto de la memoria, que no puedo sacármela de la cabeza.

Pregunta: ¿En la medida en que la tecnología acelera el paso, no está escrito en las estrellas que nuestros hijos (probablemente) y nietos (con seguridad) sabrán más pero recordarán menos que nosotros? Quizá, en última instancia, no necesitarán recordar absolutamente nada.

Lo que estaría bien, supongo, si pueden tener en el cerebro ese buscador virtual de la Red y buscar lo que necesiten. Como en este caso: *Esa mujer que se me está acercando, ¿cómo se llama? Bueno, descargando, descargando… ¡Ajá! ¡SUSIE!*

Este prospecto tiene sus encantos. Pero me molesta.

Rodney Brooks tiene una buena respuesta. A la gente siempre le preocupa el progreso, dice. Así somos. "A lo largo de miles de años la tecnología ha estado cambiando y siempre han existido temores de que de algún modo eso va a empeorar las cosas, y de cierta manera las empeora. Usted y yo nos veríamos en apuros si nos dejaran en una caverna en algún lado y tuviéramos que encender una fogata".

Traducción: ¿Entonces, preferiría estar de vuelta en la caverna?

Una pregunta retórica.

Pero espere. Este chip que me implantarían en el cráneo, que recordaría todo por mí, ¿podría sentir? ¿Podría evocar la alegría asociada con este recuerdo particular en mi cabeza (natural) y la tristeza asociada con aquel otro? ¿Podría evocar la sensación de placer, de risa o de curiosidad?

¿Podría recordar el amor?

Si es así, yo consideraría la posibilidad.

No es que no esté agradecida por la memoria, con todo y sus defectos, que la Madre Naturaleza y varios millones de años de evolución me han concedido. Escuchen, estoy sinceramente agradecida.

A la salud de la Madre Naturaleza.

A la salud de la evolución.

A la salud de la memoria, la suya y la mía y también la de Comosellame.

Pero, ay, qué agradable sería no tener que preguntar nunca más "*¿Dónde dejé los lentes?*".

SOBRE LA AUTORA

MARTHA WEINMAN LEAR ha escrito dos libros *Heartsounds (Sonidos del corazón)* y *The Child Worshipers (Los adoradores del niño)* y montones de artículos para revistas nacionales.

La autobiografía de la autora, *Heartsounds (Sonidos del corazón),* la historia de su esposo el cirujano Harold Lear, ya fallecido, la odisea que este vivió como médico convertido en paciente y el efecto de esta odisea sobre su matrimonio, fue un éxito editorial del *New York Times* y se convirtió en lectura requerida en muchas escuelas de medicina del país.

La Sra. Lear fue editora de artículos y escritora de planta de *The New York Times Magazine*. Ha escrito muchísimo sobre temas sociales y temas relacionados con la medicina.

Vive en Nueva York con su esposo, el guionista Albert Ruben, y dice que, hasta donde puede recordar, no tienen mascotas.